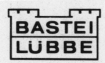

S. U. Wiemer

Der Riss
in der Welt

Science Fiction-Roman

BASTEI-LÜBBE-TASCHENBUCH
Söhne der Erde
Band 26 016

© Copyright 1981 by Bastei-Verlag
Gustav H. Lübbe, Bergisch Gladbach
Titelillustration: Agentur Thomas Schlück
Umschlaggestaltung: Quadro-Grafik, Bensberg
Druck und Verarbeitung:
Mohndruck Graphische Betriebe GmbH, Gütersloh
Printed in Western Germany
ISBN 3–404–26016–3

Der Preis dieses Bandes versteht sich einschließlich der gesetzlichen Mehrwertsteuer.

Die Filmleinwand flimmerte.

Über Trümmerbergen und Ruinen entfaltete der irdische Sternenhimmel seine ganze Pracht. Stille, düstere Bilder – bis in der Synfonie aus dunklen Grau- und Blautönen ein gleißender Lichtreflex aufblitzte. Funkensprühend stieg ein silberner Pfeil in den Himmel, sog einen rotglühenden Schweif hinter sich her und beschrieb über der toten Stadt eine Bahn gleich einem brennenden Regenbogen.

Die Lautlosigkeit, mit der die Leinwand den Einschlag des Lenkgeschosses wiedergab, wirkte gespenstisch.

Eine grelle Explosion. Flammen, die nur für Sekunden hochloderten und sofort von kaltem blauem Leuchten aufgesogen wurden. Der Energie-Sprengkopf der ferngesteuerten Rakete detonierte. Unsichtbare Gewalten packten das alte Ionen-Raumschiff, lösten seine Materie auf, ließen es wie durch Zauberei vom Erdboden verschwinden. Ein paar Sekunden noch strahlte das eisige, unirdische Licht. Dann erlosch auch der letzte Schimmer, und die Dunkelheit senkte sich über die Ruinen von New York wie ein Leichentuch.

In dem großen Kuppelsaal des Parlamentsgebäudes von Kadnos flammten die Leuchtwände auf.

Stille herrschte.

Der Rat der Vereinigten Planeten war fast vollzählig versammelt, doch die Abgeordneten von Venus und Jupiter, Saturn, Uranus und den übrigen Welten des Sonnensystems brauchten Zeit, um mit dem Anblick brutaler Gewalt fertig zu werden, die der Film gezeigt hatte.

Kühles Licht fing sich im kurzgeschorenen silbernen Haar des Präsidenten. Sein einteiliger Anzug hatte die gleiche Farbe: Silber, das in Kadnos, der Hauptstadt des Mars, die führende Stellung des Trägers symbolisierte. Simon Jessardin war ein großer, schlanker Mann mit den Zügen eines Asketen, feingliedrigen Händen und scharfen grauen Augen. Als er hinter das Rednerpult trat und einen Schluck Wasser nahm, wurde die Stille noch tiefer.

»Die Aufnahmen, die Sie eben sahen, sind von einem Beobachtungsboot der ›Deimos‹-Staffel aus gemacht worden«, erläuterte er ruhig. »Kommandant Carrisser . . .« mit einer Kopfbewegung wies er zur Zuhörertribüne hinauf ». . . führte die Operation in meinem Auftrag durch. Glücklicherweise war jedoch ein Eingreifen unserer Kampfkreuzer nicht mehr notwendig. Noch während die ›Deimos‹-Staffel auf dem Erdenmond in der Nähe der zerstörten Luna-Basis auf Anweisungen wartete, wurden die geflohenen Barbaren von Angehörigen ihrer eigenen Priesterkaste umgebracht. Und zwar mit Waffen aus der irdischen Vergangenheit.«

Jessardin schwieg, um seine Worte wirken zu lassen.

Auf der Tribüne preßte Marius Carrisser, ehemaliger Kommandant der Strafkolonie auf Luna, die Lippen zusammen. Der breitschultrige Uranier wußte als einziger außer dem Präsidenten, daß die Vernichtung der »Terra I« nicht allein das Werk der Priester gewesen war. Das kleine Grüppchen, das sich von den übrigen Barbaren getrennt hatte, wäre gar nicht in der Lage gewesen, mit den Waffen der alten Erde umzugehen. Carrisser hatte ihnen geholfen. Er hatte ein paar Männer des Volkes, das in der Ruinenstadt hauste, zu Bomberpiloten ausgebildet und schließlich die Abschußrampe für das tödliche Lenkgeschoß gebaut. Niemand durfte es je erfahren. Die Priester mußten als Alleinschuldige am Tod der Barbaren hingestellt werden – denn mit den Terranern war auch Lara Nord gestorben, die Tochter des Generalgouverneurs der Venus.

Jessardin befürchtete politische Verwicklungen.

Conal Nord konnte sich auf die uneingeschränkte Loyalität des venusischen Rates stützen. Er hatte die Macht, die Vereinigten Planeten zu spalten. Die Macht – aber jetzt keinen Grund mehr dazu, weil die Vernichtung der Mondstein-Barbaren auf die Priester zurückfiel.

»Also gibt es doch noch Überlebende?« fragte ein Abgeordneter in den farbenprächtig irisierenden Traditions-Gewändern des Uranus.

»Die Priester, ja. Sieben oder acht Männer, die von einer der jungen irdischen Rassen unterstützt werden.« Jessardin machte eine leicht ungeduldige Handbewegung. »Sie sind keine Gefahr mehr. Außerdem sprach ein weiterer Grund dagegen, die Ruinen von New York durch die ›Deimos‹-Staffel zerstören zu lassen, um die letzten Barbaren auszulöschen. Das Volk, das dort lebt, ist Objekt eines Versuchs, den die Genetiker der Universität bei einer Forschungsexpedition vor zwanzig Jahren begannen. Damals wurden die degenerierten, halbmenschlichen Wesen dieser Rasse gezielt unfruchtbar gemacht. Ein ausgewähltes Exemplar setzte man als Königin ein mit der Auflage, sich ausschließlich mit Angehörigen fremder Volksstämme zu paaren, um genetisch höherstehende Nachkommen hervorzubringen. Da unsere Wissenschaftler – wie übrigens auch die Priester – von den Ruinenbewohnern als Götter verehrt werden, sind die entsprechenden Gesetze bis heute befolgt worden. Ein Experiment, das meiner Meinung nach nicht wegen eines Greises und seiner wenigen Anhänger gefährdet werden sollte.«

Der Leiter der genetischen Fakultät und ein paar andere Professoren nickten beifällig.

Simon Jessardin zog sich zurück, und der Parlamentsvorsitzende schritt zur Abstimmung. Der Rat sanktionierte einstimmig die Maßnahmen des Präsidenten. Alles andere wäre auch höchst ungewöhnlich gewesen. Die Gesellschaft der Vereinigten Planeten funktionierte nach den Prinzipien der wissenschaftlichen Vernunft. Die Wissenschaft irrte nicht. Aus dieser Tatsache leitete das System das Recht ab, unbedingten Gehorsam zu verlangen, und dieser Tatsache war es zu danken, daß keiner der Abgeordneten je auf den Gedanken gekommen wäre, eine von wissenschaftlichen Gutachten gestützte Beschlußvorlage abzulehnen oder eine nach wissenschaftlichen Prinzipien getroffene Entscheidung zu kritisieren.

Das Problem der geflohenen Barbaren war damit erledigt.

Conal Nord hatte keinerlei Grund, an den Informationen über den Ablauf der Ereignisse zu zweifeln. Die Besatzungen der Kampfkreuzer, die gewisse Unstimmigkeiten hätten aufdecken können, waren einer Amnesie-Behandlung unterzogen worden. Einzig Marius Carrisser wußte Bescheid. Und auf ihn konnte sich Jessardin schon deshalb verlassen, weil der ehemalige Kommandant der Strafkolonie, von den Barbaren im Verein mit den rebellierenden Häftlingen aus Lunaport vertrieben, allen Grund hatte, sich zu rehabilitieren.

Ein paar Minuten später saß der Uranier dem Präsidenten in dessen Büro gegenüber.

Carrisser war erregt. Da von jedem Bürger der Vereinigten Planeten als selbstverständlich verlangt wurde, sein Bestes im Dienste des Gemeinwohls zu geben, wußte der Uranier, daß er keine Belohnung zu erwarten hatte. Aber doch immerhin eine seinen Fähigkeiten entsprechende Aufgabe statt der psychiatrischen Behandlung, die sein Versagen auf Luna eigentlich hätte nach sich ziehen müssen.

»Sie haben ausgezeichnete Arbeit geleistet, Carrisser«, sagte der Präsident ruhig. »Zweifellos wird der Computer Ihnen eine verantwortungsvolle Position auf Ihrem Heimatplaneten zuweisen. Vorerst allerdings hätte ich noch eine weitere recht diffizile Aufgabe für Sie. Auf freiwilliger Basis, wie ich ausdrücklich betonen möchte.«

Der Uranier ahnte, worum es ging.

Die Barbaren aus der Mondstein-Welt waren nicht das einzige Problem. Als Carrisser mit den Wachmannschaften und einem Teil der Häftlinge Luna verlassen hatte, waren die rebellierenden Gefangenen dort zurückgeblieben. Eine Gruppe, deren Anführer Mark Nord hieß: der Bruder des Generalgouverneurs der Venus und der erste und bisher einzige Rebell der Vereinigten Planeten.

Vor zwanzig Jahren hatte er mit einer Gruppe junger Leute im Auftrag des Rates den Merkur zu besiedeln versucht. Das

Projekt scheiterte, der Planet erwies sich als unbewohnbar. Aber die Siedler wollten nicht aufgeben. Sie wollten den Merkur für sich, für eine neue Gesellschaftsordnung. Schließlich mußten sie mit Gewalt zurückgeholt werden, und seitdem hatten sie in den Bergwerken von Luna geschuftet.

Auf der Erde befanden sie sich offenbar nicht.

Das hieß, daß sie aller Wahrscheinlichkeit nach mit einem der Luna-Schiffe zum Merkur zurückgekehrt waren. Und der Staat duldete keine Außenseiter, auch nicht auf jenem sonnennächsten Höllenplaneten.

»Ich bin bereit, jede Aufgabe nach besten Kräften zu erfüllen, mein Präsident«, sagte Carrisser. »Ich nehme an, es geht um die Eliminierung der Merkur-Siedler?«

»Nicht um ihre Eliminierung.« Simon Jessardin runzelte flüchtig die Stirn. »Aus den gleichen Gründen nicht, aus denen ich von einer direkten Aktion der Kriegsflotte gegen die Barbaren abgesehen habe. Die Einheit der Föderation ist wichtiger als die Flucht einiger Lebenslänglicher. Finden Sie heraus, ob sich Mark Nord und seine Freunde tatsächlich auf dem Merkur aufhalten, Carrisser. Falls ja, wäre ich bereit, ihre offizielle Begnadigung zu erwirken und einen Weg zu finden, um sie mitsamt ihrem Planeten wieder in das Staatswesen einzugliedern. Über die Einzelheiten können wir später noch sprechen.« Er zögerte und blickte in das kantige Gesicht, das so viel von den handfesten, in einer wissenschaftlich geprägten Welt wenig karrierefördernden Charakterzügen seines Gegenübers spiegelte.

»Sind Sie sicher, daß Sie mit den Leuten verhandeln können, Carrisser? Die Merkur-Siedler haben immerhin zwanzig Jahre Strafkolonie hinter sich. Sie sind möglicherweise auf Rache aus.«

»Das glaube ich nicht. Wenn sie Rache wollten, hätten sie das schon auf Luna haben können.«

Aber auf Luna waren die Terraner dabeigewesen, dachte Jessardin. Barbaren mit ihren altertümlichen Ehrbegriffen, die es ihnen verboten, sich an Gefangenen zu vergreifen, obwohl das Element der Rache sonst durchaus zu ihrem Alltag gehörte. Wer konnte ermessen, wieviel Haß sich während zweier Jahrzehnte Zwangsarbeit in den düsteren Katakomben der Mond-Bergwerke in einem Mann wie Mark Nord angestaut haben mochte? Jessardin zögerte einen Augenblick, obwohl er seine Entscheidung bereits gründlich durchdacht hatte. Und obwohl die Wissenschaftler – wenn auch auf der Basis zwanzig Jahre alter Psychogramme – ebenfalls der Ansicht waren, daß kein Racheakt von seiten der Merkur-Siedler zu erwarten sei.

»Gut, Carrisser«, sagte der Präsident schließlich. »Ich verlasse mich auf Sie. Im übrigen haben Sie noch Zeit, sich die Sache zu überlegen.«

»Danke, mein Präsident. Aber ich brauche nicht mehr zu überlegen.«

Ein paar Minuten später verließ Marius Carrisser das Büro mit der Gewißheit, daß sich schon bald niemand mehr an sein Fiasko auf Luna erinnern würde.

*

Wind peitschte die grauen Wogen des Atlantik auf.

Längst war die Küste des nordamerikanischen Kontinents hinter dem Horizont verschwunden. Und mit ihr die gespenstische Ruinenstadt New York, das grüne Land am Meer – und die Toten, die im Bombenhagel jener Schreckensnacht gestorben waren, als die Priester das Dorf der Fischer bombardierten, mit denen die Terraner friedlich zusammengelebt hatten.

Ächzend pflügte das Holzschiff mit den beiden großen Segeln durch die Wellen.

Niemand ahnte etwas von der Existenz dieses Schiffes. Niemand wußte, daß die Söhne der Erde nicht in der »Terra« umgekommen, sondern in letzter Minute geflohen waren. Der junge Mann, der sie vor den Plänen der Priester und des Marsianers gewarnt hatte, lehnte schweigend am Mast und starrte nach Süden. Sein Rücken zeigte noch die Peitschenstriemen, deren Narben ihn immer an Bar Nergal, den Oberpriester, erinnern würden. Aber nicht deshalb hatte er sich von dem Volk der Totenstadt abgewandt, deren Königin seine Mutter war.

Cris glaubte nicht mehr an die Göttlichkeit der Priester.

Er hatte gelernt, ein Flugzeug zu lenken wie seine Brüder, aber er wollte keine Bomben auf ahnungslose Menschen werfen. Er glaubte nicht, daß die Fremden von den Sternen das Recht hatten, ein ganzes Volk einfach auszurotten. Deshalb stand er jetzt hier, die schrägen gelben Augen zusammengekniffen, die als einziges in seiner Erscheinung an die Katzenwesen der toten Stadt erinnerten, und blickte dorthin, wo irgendwann die legendären Südinseln auftauchen mußten.

Unter Deck hatten sich die Menschen eingerichtet, so gut es in der drangvollen Enge ging.

Yattur, der letzte Überlebende des Fischervolkes, lehnte an der Balustrade des Achterschiff-Aufbaus und beobachtete die düsteren Wolkenbänke im Osten, die sich immer höher schoben. Er führte das Schiff als Kapitän, war seit seiner Kindheit damit vertraut. In dem glatten, dunklen Gesicht unter dem tiefschwarzen Haar hatten seine Augen das klare, leuchtende Blaugrün südlicher Meere. Jener Meere, die sie erreichen wollten, um einen Platz zum Leben zu finden, auf einer der paradiesischen Inseln, vielleicht, von denen die Legenden der Fischer sprachen.

»Yattur macht sich Sorgen«, sagte Lara Nord, die an dem hölzernen Schanzkleid stand. »Er fürchtet, daß sich ein Sturm zusammenbraut.«

Charru von Mornags Augen streiften den schlanken, dunkelhäutigen Mann. Der junge Barbarenfürst zuckte die Schultern.

»Wir haben gelernt, mit dem Schiff umzugehen, und Yattur weiß, was er tut«, sagte er ruhig. »Es ist besser für ihn, an das Schiff oder den Sturm zu denken statt an all die Toten.«

Lara nickte nur. Unter dem helmartig geschnittenen blonden Haar war ihr Gesicht sehr blaß. Mit einer unbewußten Bewegung tastete sie nach ihrem Leib, der sich bereits sichtbar wölbte. Sie vertrug das Rollen und Stampfen des Schiffes nicht und ahnte, daß die Tabletten aus dem Medikamentenvorrat nicht mehr lange wirken würden.

Ein paar Minuten später sprang Yattur an Deck und kam auf Charru zu.

Das Gesicht des jungen Fischers wirkte tatsächlich besorgt. Mit dem Kopf wies er zu den schwarzen Wolkenbänken, die jetzt fast den ganzen Himmel ausfüllten, als wollten sie das Schiff erdrücken.

»Wir müssen Sturmsegel anschlagen und alle Luken abdichten. Sag deinen Leuten, daß es da unten sehr ungemütlich werden wird. Sie müssen ihre Ausrüstung sichern und vor allem auf die Kinder und alten Leute aufpassen.«

»Aye.« Charru lächelte.

»Hier an Deck werden wir Taue ausspannen, damit sich die Männer anbinden können«, fuhr Yattur fort. Sein Blick wanderte zu Lara. »Du solltest nach unten gehen. Sie See wird viele von euch krank machen. Vor allem müssen sie ruhig bleiben.«

»Werden wir es schaffen, Yattur?« fragte Charru.

Der junge Fischer zögerte und fuhr sich mit der Hand durch das lockige blauschwarze Haar. Inzwischen hatten sich auch ein paar andere Männer eingefunden und hörten zu: Gillon von Tareth und sein ebenso rothaariger, grünäugiger Vetter Erein, Camelo von Landre, Karstein, der Nordmann, Gerinth, der weißhaarige Älteste der Tiefland-Stämme, Scollon, den die Tempeltal-Leute zu ihrem Sprecher gewählt hatten. Charru begegnete dem funkelnden Blick seines Bruders Jarlon und dem gelassenen des ruhigen, nüchternen Konan. Neben ihm balancierten Jordis, Shaara und Katalin von Thorn auf dem schaukelnden Deck. Junge Frauen, die in der letzten Schlacht unter dem Mondstein mit den Schwertern der Gefallenen weitergekämpft hatten, denen Sitz und Stimme im Rat zustanden, und die auch hier auf dem Schiff die gleichen Aufgaben erfüllten wie die Männer.

»Ich weiß es nicht«, sagte Yattur nach einem langen Schweigen. »Ich weiß es wirklich nicht. Aber wir haben keine andere Wahl, als es zu versuchen.«

*

Blühende Gärten umgaben den Regierungspalast von Indri, der Hauptstadt der Venus.

Auf dem Mars waren Gärten fast unbekannt, genau wie Kunst und Musik, alles Spielerische, jede zweckfreie Schönheit. Die Venusier standen – ähnlich den Menschen des Uranus, die auf ihrem dunklen, sonnenfernen Planet eine Welt aus künstlichem Licht und Farben erbaut hatten – im Ruf einer gewissen Exzentrik. Ihr Boden erlaubte den Anbau natürlicher Nahrungsmittel in größerem Umfang. Ihre Städte – weiträumig, da sie nicht von Wüsten umgeben wurden – hatten Platz für Kunstwerke und Grünanlagen. – Das milde Klima des Planeten begünstige eine Atmosphäre heiterer Gelassenheit, die den meisten anderen Bürgern der Föderation fremd war.

Conal Nord hatte keinen Blick für die Schönheit der Gärten.

Er dachte an seine Tochter, die er für tot hielt. An fast hundert Menschen, die ausradiert worden waren, weil man eine Gefahr in ihnen sah. Menschen, die niemandem etwas getan hatten. Deren einziges Verbrechen es war, ihre Sklavenketten zerbrochen und ihr Gefängnis zerstört zu haben, und die nichts weiter wollten, als in Frieden und Freiheit zu leben.

Ihre Heimat war die Erde.

Der blaue Planet, von seinen eigenen Bewohnern in einem weltumspannenden Krieg zerstört, der in eine kosmische Katastrophe mündete. Wenigen Überlebenden war es damals gelungen, mit Raumschiffen auf den Mars zu entkommen. Dort hatten sie eine neue Zivilisation begründet, eine neue Menschheit, hatten mit dem Jahr der Gründung von Kadnos eine neue Epoche begonnen, in der es nie wieder Krieg, nie wieder Gewalt geben sollte.

Und den alten Fluch der Menschheit hatten sie in die Welt unter dem Mondstein verbannt.

Eine Halbkugel in einem Museumssaal. Eine Kuppel, unter der mit wissenschaftlichen Mitteln zur Winzigkeit verkleinerte Menschen in einer Miniaturlandschaft lebten. Sie waren Nachkommen jener einzelnen Exemplare primitiver Rassen, die marsianische Wissenschaftler von der allmählich wieder zum Leben erwachenden Erde entführt hatten. Versuchsobjekte, an deren Beispiel die Friedensforschung Krieg und Gewalt studierte, um in ihrer eigenen Welt den Anfängen wehren zu können; Spielzeug, von unsichtbaren Augen beobachtet, von unsichtbaren Ohren belauscht, von falschen Göttern manipuliert. Zweihundert Jahre lang hatten sie sinnlose Kriege geführt, ihr Blut vergossen und gelitten. Bis einer von ihnen, der junge Fürst von Mornag, den Weg in die Außenwelt fand, seine natürliche Größe zurückerlangte und die grausame Wahrheit erfuhr.

Conal Nord war Zeuge gewesen, als im Museumssaal der Universität der Mondstein im Laserfeuer eines Wachmanns zusammenbrach und die Menschen unter den Trümmern begrub.

Er hatte gewußt, daß die Überlebenden nicht aufgeben, sondern um ihre Freiheit kämpfen würden, für die sie einen so schrecklichen Preis gezahlt hatten. Er hatte ihnen sogar gewünscht, daß sie es schaffen würden, denn er glaubte nicht daran, daß der Staat das Recht besaß, diese Menschen wie Ungeziefer auszurotten. Aber damals ahnte er auch noch nicht, daß seine Tochter Lara in das Schicksal der Barbaren verstrickt werden, daß sie Charru von Mornag begegnen und an seiner Seite bleiben würde.

Er verstand, was sie in ihm sah.

Selbst Präsident Jessardin respektierte diesen schwarzhaarigen, gerade zwanzigjährigen Mann mit dem harten bronzenen Gesicht und den saphirblauen Augen inzwischen als gleichwertigen Gegner und hatte aufgehört, die Terraner für primitive

Wilde zu halten. Aber er war trotzdem nicht bereit gewesen, sie auf der Erde zu dulden. Nirgends – außer in Gefangenschaft. Denn in jedem einzelnen dieser barbarischen Krieger lebte das Erbe der Erde weiter, jener alte Rebellengeist, der sich nicht mit Sicherheit und Ordnung begnügte, der nicht aufhörte, nach Wahrheit und Freiheit zu streben, der schon einmal einen Planeten zerstört hatte und nur zu leicht von neuem eine Welt in Brand stecken konnte.

Conal Nord war sicher, daß der Präsident die Vernichtung der Barbaren befohlen hätte, wenn ihm die Priester nicht zuvorgekommen wären.

Und die Merkur-Siedler?

Plante Jessardin auch deren Vernichtung? Bei ihrem letzten Gespräch hatte der Präsident die Möglichkeit angedeutet, sich mit den Männern um Mark Nord zu arrangieren. Aber konnte er das überhaupt? Konnte er aus Furcht vor einem Bruch zwischen Mars und Venus den Rat dazu bringen, diejenigen ungeschoren zu lassen, die Lunaport zerstört und den Erdtrabanten praktisch in einem kriegerischen Akt erobert hatten?

Der Venusier strich sich mit einer müden Bewegung das schulterlange blonde Haar zurück.

Vor zwanzig Jahren hatte er seinen Bruder dem Gericht ausgeliefert und nichts zu seiner Rettung unternommen, weil es vor dem Gesetz keine Vorrechte und Privilegien geben durfte. Zwanzig Jahre lang hatte er seine Entscheidung nie in Zweifel gezogen. Sie war richtig gewesen. Richtig im Sinne der starren Prinzipien, denen in diesem Staat alles Menschliche geopfert wurde.

Irgendwann in den letzten ereignisreichen Monaten hatte Conal Nord aufgehört, an die Unfehlbarkeit der wissenschaftlichen Moral zu glauben.

Er hätte seine Tochter nicht der Staatsräson geopfert. Und er war nicht bereit, seinen Bruder ein zweites Mal zu opfern. Lange blieb er reglos am Fenster stehen und blickte durch die Filterstäbe in die blühenden Gärten hinunter. Dann wandte er sich ab, trat an den Schreibtisch und bediente die Sensortaste des Kommunikators.

Sein Stellvertreter meldete sich. Ein hagerer Mann, in dessen zerfurchtem Gesicht die sanften, harmonischen Venusierzüge die Spuren des Alters milderten.

»Ich möchte den Kommandanten des Raumhafens sprechen«, sagte Conal Nord ruhig. »Und treffen Sie bitte Vorbereitungen, eine Sondersitzung des Rates einzuberufen. Ich halte es für möglich, daß die Ereignisse auf dem Merkur meine persönliche Intervention notwendig machen.«

»Eine Expedition, Generalgouverneur?« kam es nach einem kurzen Schweigen zurück.

Conal Nord lächelte. Er wußte, daß sich der venusische Rat geschlossen hinter ihn stellen würde, selbst bei einem Unternehmen, das offensichtlich nicht mit der Regierung der Vereinigten Planeten abgestimmt war.

»Eine Expedition zum Merkur«, bestätigte er. »Ich hoffe, daß es einen Weg gibt, weitere Gewaltakte und kriegerische Verwicklungen zu verhindern.«

*

Turmhoch wuchs die gigantische Woge empor, ein grüner gläserner Berg, geisterhaft schillernd unter dem schwarzen Himmel.

Charrus Fäuste umklammerten das Tau, das quer über das Deck gespannt war. Hinter sich hörte er jemanden krächzend aufschreien, genauso sicher wie er selbst, daß ihr Schiff im nächsten Moment wie ein Spielzeug zerschmettert werden würde. Irgendwo links, verschwommen hinter peitschenden Regenschleiern, hing sein Blutsbruder Camelo von Landre mit seinem ganzen Gewicht an dem Seil, das die Rah mit dem Sturmsegel in einer Stellung hielt, bei der das Schiff nicht quer zwischen die Wellenberge geraten konnte. Yatturs Stimme war im Toben der Elemente nicht mehr zu hören. An Deck kämpften die Männer einen verzweifelten Kampf gegen die entfesselte Hölle, einen Kampf, der ihnen von Minute zu Minute aussichtsloser erschien.

Verbissen hangelte sich Charru an dem Tau entlang zu Camelo hinüber und packte mit zu.

Schaum krönte den Kamm der Riesenwelle. Wenn sie sich brach, wenn die Wassermassen gleich einer gigantischen Raubtierpranke auf das Schiff und die Menschen niederschmetterte . . .

Jetzt wurde der Bug angehoben.

Schräg kletterte das Fahrzeug an der Woge empor, bis die Masten die tief dahinjagenden Wolken aufzuspießen schienen. Einen schwindelerregenden Augenblick lang tanzte das Schiff zwischen Himmel und Meer, stürzte dann ins Bodenlose, tief hinunter in das brodelnde grüne Wellental, das es wie ein tückischer, klaffender Rachen zu verschlingen drohte.

Charru taumelte gegen die Reling. Die Schlinge des Taus straffte sich, das ihn zusätzlich sicherte, selbst wenn seine Hände den Halt verloren. Schwindel packte ihn. Sein Magen drehte sich um, und er brauchte Minuten, um wieder zu Atem zu kommen.

Täuschte er sich, oder hatte das Toben des Hexenkessels ringsum etwas nachgelassen?

Der Sturm heulte wie ein Chor verdammter Seelen. Regen peitschte in Charrus Gesicht, alle paar Sekunden zerriß ein blau gleißender Blitz den Himmel, der Donner krachte fast ununterbrochen. Camelo, jetzt mir Karsteins Hilfe, zerrte immer noch an dem Tau, um die Rah in ihrer Stellung fast parallel zur Längsachse des Schiffs zu halten. Vorwärts kamen sie schon lange nicht mehr. Aber der Sturm, der schräg von vorn in die winzigen Notsegel fiel, verlieh ihnen so viel Fahrt, daß sie manövrieren konnten. Wenn der Wind gleichmäßig blies, ließen sich die Taue festzurren, mit denen die Rahen geschwenkt wurden. Aber jetzt waren die heulenden Böen schon ein paarmal umgesprungen, und jeder dieser jähen Richtungswechsel hätte das Ende bedeuten können, wenn die Terraner nicht seit Wochen mit dem Schiff vertraut gewesen wären.

Aus den Augenwinkeln sah Charru eine Gestalt, die sich mühsam am Schanzkleid entlangkämpfte.

Hakon! Seine lange strohfarbene Mähne flatterte, Wasser rann ihm über das verzerrte Gesicht. Keuchend hielt er eine gelbe Kapsel zwischen den Fingern hoch und versuchte, den Sturm zu überschreien.

»Nimm das! Lara sagt, es hilft gegen die verdammte Schaukelei!«

Gegen die Schaukelei würde es sicher nicht helfen, aber vielleicht gegen ihre Auswirkungen. Charru würgte mit Todesverachtung die Tablette hinunter und bemühte sich, sie im Magen zu behalten. Hakon hangelte sich weiter, von Mann zu Mann. Camelo sah kreidebleich aus und fühlte sich so offensichtlich schlecht, daß er die Kapsel widerspruchslos zwischen die Zähne schob. Karstein schüttelte entschieden seine struppige Mähne. Charru konnte nicht verstehen, was der Nordmann brüllte, aber etwas Freundliches war es bestimmt nicht.

Stunden verrannen.

Ewigkeiten, deren einziges Maß das Orgeln des Sturms und das Kochen der See war. Yattur schrie Befehle, die von Mund zu Mund weitergegeben werden mußten, um den Höllenlärm zu durchdringen. Immer wieder türmten sich gigantische Wellenberge und drohten das Schiff zu zerschlagen, immer wieder legte es sich auf die Seite und brauchte einen Alptraum von Zeit, um sich wieder aufzurichten. Charru zählte die Augenblicke nicht, in denen Schrecken seine Muskeln verkrampfte, um von schwindelerregender Erleichterung abgelöst zu werden, wenn ihr sturmgeschütteltes Gefährt dem sicher scheinenden Verhängnis einmal mehr in letzter Sekunde entging. Was unter Deck geschah, wagte er sich gar nicht erst vorzustellen. Er bewegte sich wie in einem wirren Traum, konzentrierte sich nur noch auf die Notwendigkeit, seine zitternden Muskeln zu bewegen, seine vibrierenden Nerven zu beherrschen, und es dauerte lange, bis ihm bewußt wurde, daß das Schiff schon seit geraumer Zeit nicht mehr in Gefahr geraten war, zu kentern oder von überkommenden Brechern zerschlagen zu werden.

Der Sturm flaute ab. Kaum merklich zuerst, dann ließ der Regen nach, und der Donner rollte seltener über die graue, wogende Wasserfläche. Die Wolkendecke riß auf, Streifen von klarem Blau erschienen. Immer noch türmte sich eine gefährlich steile Dünung. Aber der Wind fegte den Himmel frei, und die schrägen Strahlen der Nachmittagssonne tauchten das Schiff in warmen goldenen Glanz.

Im Laderaum herrschte Chaos, doch von ein paar blauen Flecken abgesehen war niemand verletzt.

Erschöpfte Frauen und Kinder kamen an Deck, um frische Luft zu schnappen. Schritte und Gepolter zeigten, daß bereits die Aufräumungsarbeiten begannen. Lara wischte sich den Schweiß von der Stirn und lächelte matt.

»Ich hoffe, so etwas müssen wir nicht noch einmal erleben«, murmelte sie.

»Das hoffe ich auch. Aber das Schiff hat immerhin bewiesen, daß es . . .«

»Land!« schrie im gleichen Augenblick eine helle Stimme. »Ich kann Land sehen!«

Jarlon war in den Ausguck hoch oben im Mast geklettert. Jetzt wies er aufgeregt nach Süden, und auch die anderen entdeckten, was er erspäht hatte.

Ein paar grünliche Buckel in der wogenden, sonnenbeglänzten Weite.

Sie kamen rasch näher, ließen weiße Strandstreifen und windgezauste Palmengürtel erkennen, schroffe rote Klippen und Hügel, die von dichter Vegetation bedeckt waren. Vorgelagerte Riffe brachen die Gewalt der Wogen und schlossen blaugrüne Lagunen ein, deren Wasser die gleiche Farbe hatte wie Yatturs Augen. Der junge Kapitän verließ seinen Platz auf dem Achterschiff, trat neben Charru und Lara und blickte aufmerksam nach vorn.

»Die Südinseln«, sagte er Leise. »Sie sind also doch keine Legende.«

Nein, sie waren keine Legende.

Sie lagen vor ihnen gleich einer glänzenden Vision, und zum erstenmal seit langer Zeit glaubte Charru wieder, daß es ihnen am Ende doch gelingen würde, den Platz zum Leben zu finden, den sie sich so verzweifelt wünschten.

II.

Das Schiff, das »Luna II« geheißen hatte und jetzt den Namen »Freier Merkur« trug, stand geschützt in einer Senke.

Die glänzende silberne Außenhaut war in mühsamer Arbeit mit Farbe bedeckt worden, so daß sie sich kaum noch vom Gelb und kreidigen Weiß der Umgebung unterschied. Sonne prallte auf Felsen und staubiges Gras, die Luft schien zu kochen. Dünner Dampf hing über dem Bachlauf, der sich träge durch das kleine Tal zog. Die Tage auf dem Merkur waren eine hitzeflimmernde Hölle. In den Nächten wurde es so kalt, daß das Wasser gefror und die Steine beständig knackten und ächzten. Nichts auf diesem Planeten verlockte dazu, sich hier anzusiedeln. Nichts außer der Tatsache, daß der Merkur frei war.

Mark Nord folgte langsam dem Bachlauf und atmete die trockene, pulsierende Luft ein.

Der Lederbeutel zerrte schwer an seiner Schulter. Er hatte zwei der kleinen Echsen geschossen, die in den Höhlen der sonnendurchglühten Felsen lebten. Es gab eßbare Pflanzen hier, Beerensträucher und Moose, deren Farbenpracht alles übertraf, was auf anderen Planeten existierte. Da sie die technischen Mittel besaßen, um schützende Energieschirme zu errichten, konnten sie außerdem jede Art von Nahrungsmitteln anbauen. Später würden sie sich mit der Aufzucht von Tieren beschäftigen und – vielleicht – die Riesenechsen ausrotten, die mangels natürlicher Feinde überhandnahmen. Die kosmische Katastrophe hatte auf dem Merkur zu schnell, zu plötzlich die Bedingungen zur Entstehung von Leben geschaffen. Die Evolution war nach anderen als den für die Menschen bekannten Gesetzen abgelaufen, hatte eine fremdartige Flora und Fauna hervorgebracht, deren Geheimnisse noch enträtselt werden mußten.

Mark Nord blieb einen Augenblick stehen und wischte sich den Schweiß von der Stirn.

Sein Blick wanderte über die Unterkünfte, die vor zwanzig Jahren zerstört und jetzt wieder aufgebaut worden waren. Einer der marsianischen Offiziere hatte sich damals geweigert, die Siedlung zu bombardieren, bevor er sicher wußte, daß sie verlassen war. Eine Handlungsweise, die ihm ebenfalls lebenslänglich Luna einbrachte. Jetzt gehörte Dane Farr zu den Rebellen, und auch er begann allmählich, diesen Höllenplaneten zu lieben.

Dreißig Männer, dachte Mark.

Die alten Merkur-Siedler und eine Gruppe Jüngerer, die erst später auf Luna zu den Rebellen gestoßen waren, weil sie eine ungewisse Zukunft in Freiheit ebenfalls dem Sklavendasein vorzogen, das ihnen die Vereinigten Planeten zu bieten hatten. Und diesmal würden sie lieber sterben, als sich noch einmal von der marsianischen Kriegsflotte zurückholen zu lassen.

Nur ihren Traum von einem neuen, menschlicheren Leben konnten sie allein nicht verwirklichen.

Damals, als sie den Merkur besiedelten, waren Frauen bei ihnen gewesen – Frauen, die jetzt auf ihren Heimatplaneten psychiatrisch behandelt wurden. Es gab keine Möglichkeit, sie zu befreien. Marks Augen sogen sich an dem Schiff fest. Irgendwann, dachte er, würden sie zur Erde fliegen, würden sie versuchen müssen, die Terraner zu finden oder die Freundschaft einer der jungen irdischen Rassen zu gewinnen. Denn auch der Merkur war nichts weiter als ein neues Gefängnis, wenn es ihnen nicht gelang, Familien und damit ein neues

Geschlecht zu begründen und ihren Planeten von einem Exil in eine Heimstatt zu verwandeln.

Mark runzelte die Stirn, als er die Bewegung zwischen den Unterkünften aus grauem Einheits-Baustoff bemerkte.

Ein halbes Dutzend Männer, die erregt aufeinander einredeten. Mark erkannte seinen Freund Ken Jarel, Dane Farr und den fast siebzigjährigen Raul Madsen, der eigentlich im Schiff am Beobachtungsschirm hätte sitzen müssen. Eine zweite Beobachtungsstation hatten sie auf der anderen Seite des Merkur errichtet, wo jetzt Nacht und klirrender Frost herrschten. Die Beiboote des Schiffs erlaubten es, sich schnell und ungehindert auf der Oberfläche des Planeten zu bewegen. Waffen besaßen sie nur wenige – aber dafür hatten sie Vorräte in einem tiefen unterirdischen Höhlensystem angelegt, das sie fast perfekt gegen jeden Angriff schützen würde.

Mark Nord ahnte, was geschehen war, als er zu der Gruppe der anderen stieß.

»Ein Schiff im Orbit«, berichtete Raul Madsen. »Ein schneller marsianischer Kampfkreuzer der ›Deimos‹-Klasse, wenn mich meine Erinnerung nicht täuscht.«

Mark runzelte die Stirn. »Ein einzelnes Schiff?«

»Das kann ein Trick sein«, meinte der junge Mikael. »Irgendeine heimtückische Falle.«

Mark schüttelte den Kopf. »Warum sollten sie mit Tricks arbeiten, Mikael? Wenn sie uns entdeckt haben, wissen sie auch, daß wir so gut wie unbewaffnet sind. Ein einzelnes Schiff kann eigentlich nur bedeuten, daß sie verhandeln wollen.«

»Verhandeln? Und worüber?«

Mark Nord zuckte die Achseln.

»Ich weiß es nicht, Mikael«, sagte er ruhig. »Vielleicht wollen sie von uns erfahren, wo die ›Terra‹ gelandet ist. Vielleicht bilden sie sich ein, uns ködern zu können, damit wir unsere Freunde verraten, weil ihnen die Eliminierung der Barbaren aus der Mondstein-Welt wichtiger ist als unser Schicksal. Ich weiß nur, daß ein einzelner Kampf-Kreuzer der ›Deimos‹-

Klasse nicht viel gegen uns ausrichten kann – und daß auch Simon Jessardin das weiß.«

»Und was tun wir?« fragte Ken Jarel nach einem langen Schweigen.

Mark blickte Dane Farr an. Der hagere Militär-Experte zuckte die Achseln.

»Wir ziehen uns in die Höhlen zurück«, schlug er vor. »Wir beobachten die Lage, und wenn die Schiffsbesatzung keine feindlichen Absichten zeigt, versuchen wir, Kontakt aufzunehmen. Ich glaube auch nicht, daß ein einzelner ›Deimos‹-Kreuzer eine Gefahr darstellt.«

Sekundenlang blieb es still.

Mikael schob das Kinn vor. Die jungen Männer ringsum schnitten grimmige Gesichter. In den letzten Wochen hatten sie gelernt, auf dem Merkur zu überleben, hatten zum erstenmal seit langen Jahren nur noch die feindlichen Gewalten einer erbarmungslosen Natur fürchten müssen, nicht mehr den Terror marsianischer Wachmannschaften. Sie alle waren entschlossen, sich nicht zu beugen, sondern bis zum letzten Atemzug Widerstand zu leisten.

Mark Nord nickte langsam.

»Dane hat recht«, stellte er fest. »Ein einzelnes Schiff ist keine Gefahr. Und wenn uns die Regierung der Vereinigten Planeten etwas zu sagen hat, können wir es uns wenigstens anhören.«

*

Das Holzschiff mit den beiden großen Segeln kreuzte durch eine Welt, die nicht nur den Terranern, sondern auch Yattur und Cris wie die Kulisse eines Märchens erschien.

Blaues Wasser und strahlend weißer Strand, den die Beimischung zerriebener Korallen mit einem perlmutten Rosa überhauchte . . . Schäumende Brandung an den Riffen und roten Felsen, frischer Wind in den Federwipfeln der hohen, schlanken Palmen . . . Wo sie dicht unter Land fuhren, konnten sie im Schatten der Wälder jenseits der Palmengürtel leuchtende Früchte und manchmal die schattenhafte Bewegung von Wild erkennen. Die üppige Vegetation verriet, daß es Wasser im Überfluß geben mußte. Die meisten dieser paradiesischen Flecken waren zu klein, als daß sich mehr als hundert Menschen dort hätten ansiedeln können. Aber Lara Nord wußte, daß es auch größere Inseln gab.

»Die Bahamas«, zählte sie auf. »Kuba, Jamaika und Haiti – das sind die alten Namen. Ich weiß nicht, inwieweit die Große Katastrophe die Inseln in Mitleidenschaft gezogen hat. Auf jeden Fall sind sie entweder fast unverändert geblieben oder haben sich wieder genauso entwickelt, wie sie früher waren.«

»Keine Radioaktivität?« fragte Charru. »Keine gefährliche Strahlung und keine mutierten Vieren?«

»Keine Strahlung«, bestätigte Lara. »Ob es gefährliche Viren gibt, kann ich nur an Ort und Stelle untersuchen.«

»Wenn wir nicht bald eine Insel finden, die groß genug ist, werden wir ohnehin eine der kleineren anlaufen müssen, um Frischwasser an Bord zu nehmen. Und wenn möglich Proviant. Ich glaube, niemand hat große Lust, wieder auf die Konzentrat-Würfel vom Mars zurückzugreifen.«

Lara nickte nur.

Der Vorrat an Konzentratwürfeln, den sie auf Luna ergänzt hatten, war ihre eiserne Reserve und würde ihnen, da sie notfalls die technischen Möglichkeiten zur Destillation von Meerwasser besaßen, für Wochen das Überleben garantieren. Und es gab keinen Grund anzunehmen, daß die größeren Südinseln weniger fruchtbar und paradiesisch waren als die kleinen, die sie bis jetzt gesehen hatten. Die Marsianer und die Priester hielten sie für tot. Die Südinseln waren unbewohnt, das sagten wenigstens Yatturs Legenden. Nach menschlichem Ermessen würde nichts die Terraner daran hindern, sich hier irgendwo niederzulassen und endlich Frieden zu finden.

Charru lächelte beim Anblick der Kinder, die ringsum am

hölzernen Schanzkleid standen und mit großen Augen die Wunder der unbekannten Welt betrachteten.

Langsam schlenderte er nach vorn zum Bug, wo Katalin ihr langes goldblondes Haar im Wind flattern ließ. Ihre bernsteinfarbenen Augen wirkten verschleiert. Charru fühlte sich befangen, wie stets in ihrer Gegenwart. In der Welt unter dem Mondstein hatte Katalin von Thorn lange als die zukünftige Frau des jungen Fürsten von Mornag gegolten. Einmal, als sie krank war und zu sterben glaubte, hatte sie ihm gestanden, daß sie ihn liebte, lange schon – solange sie zurückdenken konnte. Aber dann war Lara gekommen, und inzwischen wußte jeder, daß Charru und die junge Venusierin zusammengehörten.

Katalin warf ihm einen Blick zu. Er hatte schon in den letzten Tagen gespürt, daß sie ihm etwas sagen wollte, etwas, das ihr nur schwer über die Lippen kam. Jetzt holte sie tief Atem.

»Lara erwartet ein Kind von dir, nicht wahr?« fragte sie mit abgewandtem Gesicht.

»Ja«, sagte er. Es war das erstemal, daß er es aussprach. Marius Carrisser wußte es, da Lara es ihm gesagt hatte, als er ihr die Möglichkeit bot, zur Venus zurückzukehren. Inzwischen jedoch mußten zumindest die Frauen Laras Zustand längst bemerkt haben.

»Was hast du vor?« fragte Katalin. »Glaubst du, daß es gut ist, mit allen Traditionen zu brechen? Die meisten von uns brauchen etwas, woran sie sich halten können. Du bist immer noch König von Mornag. Du solltest die Zeremonie feiern, so wie es der Brauch ist. Und du solltest auch denen die Gelegenheit geben, die schon lange darauf warten. Shaara und Erein. Hakon und Mai Orland. Yattur und Tanit.«

»Yattur und Tanit?« echote Charru überrascht.

Katalin lächelte. Ein schmerzliches Lächeln. »Hast du das nicht bemerkt? Kormak weiß schon lange, was zwischen seiner Schwester und Yattur ist. Und Yattur wird Tanits Kind ein guter Vater sein.«

»Das wird er bestimmt.« Charru schwieg einen Augenblick

und blickte über das bewegte Wasser. »Du hast recht, Katalin. Wir werden nicht mit den Traditionen des Tieflands brechen. Und vielleicht kommt jetzt bald eine Zeit, wo wir endlich wieder Ruhe finden und wirklich leben können. Diese Inseln sind ein Paradies, nicht wahr?«

Katalin zögerte. »Ich weiß nicht . . . Robin fürchtet sich. Du kennst ihn.«

Charru runzelte die Stirn.

Robin, der zwölfjährige Blinde, hatte schon oft bewiesen, daß er manchmal mehr sah als alle anderen mit ihren gesunden Augen. Der Junge war der letzte Überlegende jener kleinen Gruppe von Marsianern, die als Ausgestoßene in der Nähe der Sonnenstadt vegetiert hatten. Sie waren den gefährlichen Strahlen zum Opfer gefallen, die von den unsichtbaren Fremden auf dem Mars erzeugt wurden, den Herren der Zeit. Strahlen, die das Gehirn zerstörten, am Ende zum Tode führten und auch das Erbgut schädigten, so daß die Kinder der Opfer verkrüppelt zur Welt gekommen waren. Verkrüppelt – oder wie der kleine blinde Robin mit gewissen paranormalen Fähigkeiten begabt, zum Beispiel der Fähigkeit, bisweilen in die Zukunft zu blicken.

Ob er das wirklich konnte oder ob ihn nur die Feinfühligkeit des Blinden gewisse Dinge früher erspüren und begreifen ließ als die anderen – das war ein Punkt, über den Charru ungern nachdachte.

Damals auf dem Mars hatte Robin behauptet, zu *wissen,* daß sein junger Freund Ayno von einer bestimmten Mission nicht zurückkehren würde, und Ayno *war* nicht zurückgekommen. »Es wird wieder geschehen«, hatte Robin gesagt, als ihn die Flugzeuge, die über das Fischerdorf hinwegbrausten, an die Vernichtung seiner Leute im Bombenhagel der Marsianer erinnerten – und es *war* wieder geschehen. Normale menschliche Angst vor einer offen auf der Hand liegenden Gefahr konnte dafür verantwortlich sein, doch Charru wußte, daß diese Angst nicht alles erklärte.

Er fand Robin an der Reling, wo er mit leicht erhobenem Kopf verharrte, als lausche er auf etwas, das nur er allein hören konnte.

»Charru!« murmelte der Blinde. Er hatte die Fähigkeit, jeden anderen sofort zu erkennen, auch ohne ihn zu sehen. Am Schritt, an der Art, sich zu bewegen, vielleicht an einer Ausstrahlung, die niemand sonst wahrnahm.

»Hallo, Robin. Weißt du, daß wir die Südinseln erreicht haben?«

»Ja, ich weiß.«

»Gefällt es dir? Spürst du die Sonne, die Wärme? Den Geruch, den der Wind mitbringt?«

Robins Lächeln erhellte flüchtig das schmale, stille Gesicht und verschwand sofort wieder.

»Es ist seltsam hier«, meinte er.

»Seltsam?«

»Ich weiß nicht, wie ich es beschreiben soll. Ich kann die Wirklichkeit wahrnehmen, aber auch noch etwas, das dahinter liegt. Etwas Unsichtbares. So wie damals auf dem Mars in dem Labyrinth unter der Sonnenstadt.«

Charru tastete unwillkürlich zu dem Schmuckstück, das um seinen Hals hing. Ein Amulett auf den ersten Blick. In Wahrheit eine Art Kommunikator, ein Stück fremdartiger Technik, das es ermöglichte, mit den Herren der Zeit in Verbindung zu treten. Jedenfalls solange man sich in einem Bereich befand, in dem die Zeit gebeugt wurde – oder wie immer man jene seltsame Veränderung nennen wollte. In dem Labyrinth unterhalb der Sonnenstadt war diese Veränderung manchmal spürbar gewesen wie eine körperliche Berührung. Später, als die Terraner den Mars verließen, hatten die Herren der Zeit noch einmal in ihr Schicksal eingegriffen und die drei Robot-Kampfschiffe in die Luft gejagt, von denen die alte Ionen-Rakete verfolgt wurde. Und jetzt? Konnte Robin recht haben? Gab es vielleicht auch auf der Erde noch eine letzte Bastion der Zeitlosen, Unsichtbaren, die so lange das Geschick der Menschheit manipuliert hatten?

Charru sprach lange mit Robin, versuchte ihn zu beruhigen, doch er spürte deutlich, daß der Blinde ganz im Bann von Empfindungen stand, die niemand anders nachvollziehen konnte.

Lara runzelte die Stirn, als er ihr davon erzählte. Sie war Wissenschaftlerin und hatte sich stets geweigert, in Robins besonderer Feinfühligkeit irgend etwas Unerklärliches zu sehen, das sich dem wissenschaftlichen Weltbild entzog. Aber jetzt zögerte sie mit der Antwort.

»Vielleicht, hat dieses ganze Gebiet wirklich eine besondere Atmosphäre, die nur bestimmte Menschen wahrnehmen können«, meinte sie schließlich. »Das sogenannte Bermuda-Dreieck . . . So wurde es in der Vergangenheit der Erde genannt. Ich erinnere mich nicht mehr genau, was eigentlich damit los war. Aber es hatte jedenfalls mit rätselhaften Phänomenen zu tun.«

»Also könnte Robin recht haben, wenn er von etwas – etwas Unsichtbarem spricht?«

Lara biß sich auf die Lippen, dann schüttelte sie entschieden den Kopf. »Ich glaube nicht daran. Es muß an der Atmosphäre des Ortes liegen. Vielleicht an dem Gegensatz zwischen der Gefährlichkeit des Seegebiets und der Schönheit der Inseln. Sie haben etwas so Märchenhaftes, Unwirkliches . . .«

Charru nickte langsam.

Aber tief in ihm nagten immer noch Zweifel. Robin mochte die Gefährlichkeit der See gespürt haben, was bei dem Sturm kein Kunststück gewesen war, doch er konnte die unwirkliche Schönheit der Insel nicht sehen. Er meinte etwas anderes, und während Charru über das schimmernde blaue Wasser starrte, glaubte er sekundenlang, es ebenfalls zu spüren.

Die aufgeregte Stimme seines Bruders störte ihn auf.

»Mann über Bord!« schrie Jarlon aus dem Ausgruck. »Mann über Bord! Wir müssen beidrehen und . . .«

Ein klatschendes Geräusch ließ Charru herumfahren.

In den Wellen konnte er den blonden Kopf von Cris erkennen, und zugleich sah er einen schlanken dunkelhäutigen Körper wie einen Pfeil ins Wasser schnellen. Yattur! Der junge Kapitän hatte blitzschnell reagiert. Er würde Cris, der nicht schwimmen konnte und dessen Volk das Wasser fürchtete, zweifellos rechtzeitig erreichen.

Beidrehen konnten die Terraner das Schiff allein.

Karstein und Kormak warfen eine Rettungsleine über das Schanzkleid und warteten. Yattur schwamm wie ein Fisch und überbrückte die Entfernung in Minutenschnelle. Zwei-, dreimal tauchte Cris unter, schlug verzweifelt um sich, doch als Yattur ihn packte, besaß er Beherrschung genug, um sich nicht blindlings an den Retter zu klammern und ihn ebenfalls in Gefahr zu bringen.

Wenig später kletterten beide Männer wieder an Bord.

Yattur schüttelte sich und wischte sich das Wasser aus den Augen. Cris brach auf den Planken zusammen, keuchend und erschöpft. Er brauchte eine Weile, um wieder zu Atem zu kommen. Seine Augen flackerten, und sein Gesicht spiegelte eine Verwirrung, die nicht allein von dem Schrecken herrühren konnte.

»Ich habe etwas gesehen«, stammelte er. »Etwas – oder jemanden . . .«

»Was?« fragte Charru scharf.

»Ich weiß nicht.« Cris' Stimme zitterte. Er schluckte und nahm sich zusammen. »Es sah aus wie ein Mensch.«

»Ein Mensch? Aber wo?«

»Unter Wasser! Zuerst hielt ich es für einen großen Fisch, dann sah ich, daß es – er – Arme und Beine hatte. Ich war erschroken, beugte mich zu weit über das Schanzkleid, und dann . . .«

Er schwieg abrupt.

Charru starrte in das tiefblaue, friedliche Wasser. In einiger Entfernung hob sich der grünliche Buckel einer winzigen Insel ab. Goldene Sonnenflecken tanzten über die Wogen. Manchmal waren die glitzernden Pfeile von Fischleibern zu sehen, aber nichts, das auch nur im entferntesten an eine menschliche Gestalt erinnerte.

»Bist du sicher, Cris?« fragte Charru zweifelnd.

»Ich – weiß nicht. Es ging alles so schnell. Aber ich hätte schwören können, daß es ein Mensch war.«

Die Männer sahen sich an. Yattur schüttelte langsam den Kopf. »Ich habe nie etwas anderes gehört, als daß die Südinseln unbewohnt sind.«

»Das kann sich inzwischen geändert haben«, stellte Camelo fest. »Wir sollten es herausfinden, denke ich. Unter Wasser sagtest du, Cris?«

»Ja. Und dieses – Wesen tauchte auch nicht auf. Es blieb viel länger unter Wasser, als ein Mensch das eigentlich hätte aushalten können.«

Charrus Blick wanderte noch einmal über die See.

Nichts rührte sich. Aber der blaue Glanz des Wassers schien plötzlich etwas Bedrohliches zu haben.

»Wir werden versuchen zu tauchen«, entschied Charru knapp. »Wenn es hier tatsächlich fremdartige Wesen gibt, müssen wir es wissen.«

*

Das Heulen der Triebwerke verstummte.

Mark Nord kauerte hinter einem Felsen und starrte zu der »Deimos« hinüber, die neben ihrem eigenen Schiff gelandet war. Hinter ihm duckten sich Ken Jarel, Dane Farr, Raul Madsen und einige andere Merkur-Siedler in den Schatten der Mulde. Der größte Teil der Männer hatte sich in den Schutz der Höhlen zurückgezogen. Der marsianische Kampfkreuzer war bewaffnet. Er konnte das Schiff mit dem Namen »Freier Merkur« und die wiederaufgebaute Siedlung zerstören, und es gab nichts, was die Männer dagegen zu tun vermochten.

Aus schmalen Augen beobachtete Mark Nord, wie sich das Ausstiegsschott der »Deimos I« öffnete.

»Carrisser!« flüsterte Ken Jarel.

Seine Stimme klang erstickt und zitterte. Zwanzig Jahre Strafkolonie, zwanzig Jahre Schufterei in den Bergwerken, zwanzig Jahre brutaler Terror verbanden sich unauslöschlich mit dem Namen des Luna-Kommandanten. Mark legte beruhigend die Hand auf den Arm des Freundes. Aber Jarel hatte sich ohnehin schon wieder gefangen. Er wußte, daß Marius Carisser nicht das richtige Ziel für seinen Haß und den Wunsch nach Rache war. Der uranische Offizier hatte nur getan, was er für seine Pflicht hielt. Und was er tun mußte, wenn er nicht selbst in die Mühlen der Justiz geraten wollte.

»Sie wollen wirklich verhandeln«, stellte Ken fest. »Jedenfalls können sie jetzt ihre Waffen nicht mehr einsetzen, ohne die eigenen Leute zu gefährden.«

Mark nickte und warf das blonde Haar in den Nacken.

»Komm«, sagte er knapp. »Hören wir uns an, was sie zu sagen haben.«

Langsam richtete er sich auf.

Ken Jarel, Raul Madsen und der junge Mikael folgten ihm, alle drei mit einem Lasergewehr an der Schulter. Mit ruhigen Schritten durchquerten sie die Senke und näherten sich dem Uranier, hinter dem drei, vier marsianische Offiziere ein Stück zurückblieben.

Auch Mark ging die letzten Schritte allein.

Schweigend standen sie sich gegenüber: der breitschultrige Mann in der schwarzen Uniform und der hagere Rebell, dessen zerfurchtes, gezeichnetes Gesicht inzwischen von der erbarmungslosen Merkur-Sonne dunkel gebrannt worden war. Carrissers Augen spiegelten unterdrückten Zorn: er haßte diesen Ex-Häftling, der ihn auf Luna überrumpelt und wie einen dummen Jungen nach Hause geschickt hatte. Mark Nord zuckte mit keiner Wimper. Auch er empfand einen kaum bezähmbaren Haß, aber Beherrschung gehörte zu den Dingen, die das Leben auf Luna als erstes lehrte.

»Sie haben Mut«, sagte er gedehnt. »Eine Menge Mut, wenn

ich bedenke, daß Sie mit einem einzelnen Schiff gekommen sind und hier im Bereich Ihrer eigenen Waffen stehen. Können Sie mir verraten, was mich davon abhalten sollte, Sie einfach gefangennehmen zu lassen?«

»Und was hätten Sie davon?« fragte Carrisser kalt.

»Zum Beispiel das Vergnügen, Sie Steine schleppen zu sehen. Und die Genugtuung, zu wissen, daß Sie mit uns sterben würden, wenn der Merkur angegriffen wird. Keiner von uns hat die Psycho-Zellen vergessen, Carrisser. Hier gibt es niemanden, der Sie nicht gern schreien hören würde.«

Der Uranier krümmte die Lippen.

»Ich komme im Auftrag des Präsidenten«, sagte er. »Sie müssen selbst wissen, ob Sie es sich leisten können, mich gefangennehmen zu lassen. Außerdem würde es Ihnen nichts nützen. Die Besatzung der ›Deimos‹ hat Befehl, keine Rücksicht auf meine Person zu nehmen.«

Mark zuckte die Achseln.

Er wußte, daß Carrisser wahrscheinlich recht hatte. Keine Rücksicht auf das Leben des einzelnen . . . Schon gar keine Rücksicht auf Gefühle, und wenn es nur Angst oder Haß war, denn Gefühle galten als gefährliche Schwächen und hatten strikt zurückzustehen . . . Das war es, was die Gesellschaft der Vereinigten Planeten in Marks Augen schon immer so unmenschlich gemacht hatte.

»Was wollen Sie?« fragte er knapp.

»Verhandeln.« Carrissers Blick wanderte über die karge, glühende Landschaft, und er unterdrückte ein Kopfschütteln. »Sie wissen, daß dieser Barbarenfürst mit seinen Leuten nicht mehr lebt?«

Mark starrte ihn an.

»Also doch«, sagte er tonlos. »Ihr habt sie umgebracht, ihr . . .«

»Nicht wir! Es waren ihre eigenen Priester, und sie benutzten Waffen aus der Vergangenheit der Erde, die sie zufällig in Bunkern unter dem ehemaligen New Yorker Raumhafen fanden. Kein marsianisches Kriegsschiff hatte das geringste damit zu tun.«

Carrisser machte eine Pause, um seine Worte wirken zu lassen. Die Lüge ging ihm inzwischen so glatt über die Lippen, daß Mark Nord trotz all seiner Menschenkenntnis nicht daran zweifelte.

»Lara?« fragte er.

»Tot. Ich hatte den Auftrag, ihr die Rückkehr zur Venus anzubieten. Sie hätte keinerlei persönliche Konsequenzen zu fürchten gehabt. Aber sie hat sich geweigert.«

Mark nickte langsam. Dieser Punkt zumindest klang glaubhaft.

»Und mein Bruder?« fragte er. »Hat er es hingenommen?«

»Was sollte er tun? Er kann nicht die Regierung der Vereinigten Planeten für etwas verantwortlich machen, das die Priester aus der Mondstein-Welt angerichtet haben. Aber der Generalgouverneur scheint entschlossen zu sein, sich jetzt um so stärker für Sie und Ihre Mitgefangenen einzusetzen, und das bringt mich auf den eigentlichen Grund meines Besuchs. Der Präsident wünscht keine Spannungen zwischen Mars und Venus. Jedenfalls nicht wegen einer Handvoll Männer auf diesem . . . diesem Trümmerball von einem Planeten.«

Mark lächelte bitter. Hinter ihm lagen zwanzig Jahre Luna – nur weil er hier und nirgendwo anders hatte leben wollen. Aber das waren Dinge, die nur ihn angingen.

»Und?« fragte er.

»Der Präsident ist bereit, Sie und Ihre Freunde hier leben zu lassen, da nun einmal Ihre Glückseligkeit davon abzuhängen scheint. Er wird im Rat Ihre offizielle Begnadigung durchsetzen. Vorausgesetzt, daß Sie bereit sind, die Gesetze der Vereinigten Planeten zu akzeptieren und den Merkur der Föderation anzugliedern.«

Für einen Moment blieb es still.

Mark krümmte verächtlich die Lippen. Es war der alte Raul Madsen, der als erster sprach.

»Und eine marsianische Verwaltung zu akzeptieren?« fragte er. »Vollzug hier zu dulden? Nicht mehr über unser eigenes Schicksal bestimmen zu können?«

»Sie wären sicher. Sie könnten das Projekt Merkur so zu Ende führen, wie es damals ursprünglich geplant war.«

Mark schüttelte den Kopf. Sein Blick ging durch alles hindurch, und seine Stimme vibrierte vor unterdrückter Erregung.

»Zwischen damals und heute liegen zwanzig Jahre«, sagte er. »Zwanzig Jahre Luna, Carrisser. Sie wissen, was das bedeutet. Jessardin weiß es auch. Glaubt er im Ernst, daß jemand, der so lange in den Bergwerken einer Strafkolonie lebendig begraben war, noch etwas anderes als Haß gegen seine Kerkermeister empfindet?«

»Aber der Staat . . .«

»Euer Staat interessiert mich nicht, Carrisser. Nicht mehr. Vor zwanzig Jahren haben wir den Lebensraum auf dem Merkur im Namen der Vereinigen Planeten erobert. Wir haben gekämpft. Wir haben unser Blut und unseren Schweiß auf diesem Planeten vergossen, wir haben etwas geschaffen, das sich eure Bürokraten an ihren Computern überhaupt nicht vorstellen können. Damals haben wir unsere ganze Kraft für den Staat eingesetzt – für einen Staat, der all das mit einem Federstrich auslöschen wollte, als seien Roboter am Werk gewesen statt Menschen.«

»Das Projekt ist gescheitert. Der Merkur war . . .«

»Der Merkur war bewohnbar. Wir haben es auf die einfachste Weise der Welt bewiesen: indem wir hier lebten und nicht aufgaben. Aber für eure Computer galten ja nur Zahlen, eure Wissenschaftler entschieden am Schreibtisch. Damals, Carrisser, haben wir alle begriffen, daß ein Staat, der mit seinen Menschen wie mit Schachfiguren spielt, den Einsatz nicht wert ist. Und daß eine Gesellschaft nichts taugen kann, die menschliche Roboter benötigt statt fühlender Wesen. Einmal habt ihr uns mit Gewalt zurückgeschleppt. Diesmal würden wir lieber sterben . . .«

Mark verstummte abrupt. Carrisser starrte ihn an und schüttelte den Kopf.

»Und das ist Ihr letztes Wort?« fragte er zweifelnd.

Der Venusier zuckte die Achseln. Hinter ihm hatten sich Ken Jarel, Madsen und die anderen gestrafft. Ihre Gesichter wirkten hart und entschlossen, doch auch sie wußten, daß sie diese Frage nicht allein entscheiden konnten. Mark wischte sich mit einer müden Bewegung den Schweiß von der Stirn.

»Ich werde abstimmen lassen«, sagte er. »Aber ich glaube nicht, das Jessardins Vorschläge viel Zustimmung finden werden.«

*

Charru holte tief Luft, bevor er sich von der hölzernen Bordwand abstieß.

Sie waren zu viert: er selbst, Camelo, Gillon und Yattur. Die anderen schauten vom Deck aus zu, schwankend zwischen leiser Sorge und der Überzeugung, daß sich Cris geirrt hatte. Das Wasser war klar genug, um die nahe Insel zu erkennen, die phantastische Welt der Korallenriffe mit ihren hin und her flitzenden Fischen und wehenden Algenbärten – aber nichts, das man mit einem menschlichen Wesen hätte verwechseln können.

Die vier Männer schwammen näher an das winzige Eiland heran, tauchten wieder und wieder, umrundeten schließlich die gesamte Insel. Sie war unbewohnt, kein Zweifel. Und sie war zu klein und übersichtlich, als daß sich jemand dort verbergen konnte. Was immer Cris gesehen hatte – es mußte längst verschwunden sein.

Charru wollte sich gerade wieder dem Schiff zuwenden, da sah er den Schatte in der Nähe.

Ein schwarzer, glänzender Umriß, bedrohlich groß. Ruhig mit tödlicher Eleganz zug er seine Bahn durch die See, beschrieb einen weiten Bogen, und auch in einiger Entfernung schien das Wasser plötzlich lebendig zu werden. Als Charru auftauchte, sah er drei, vier dunkle Dreiecks-Flossen durch die Wellen pflügen. – Gleichzeitig hörte er die aufgeregte Warnrufe vom Deck des Schiffes.

Am Schanzkleid standen Erein und Brass mit Lasergewehren in den Fäusten.

Ein Blick zeigte Charru, daß auch Yattur, Camelo und Gillon zum Schiff zurückschwammen. Der junge Fischer runzelte verständnislos die Stirn. Nicht einmal er schien diese schwarzen, pfeilschnellen Meeresbewohner zu kennen, also mußte es Lara gewesen sein, die sie als Gefahr ansah.

Minuten später kletterte Charru als letzter über die Strickleiter an Bord. Erein und Brass ließen die Waffen sinken. Lara fuhr sich mit der Hand über die Stirn und atmete tief durch.

»Haie«, sagte sie. »Das sind Haie, gefährliche Raubfische. Sie lebten schon vor der Katastrophe auf der Erde. Und sie müssen sich wieder genauso entwickelt haben, wie sie früher waren.«

Gillon schüttelten das Wasser aus seinem roten Haar. »Greifen sie Menschen an?«

»Wahrscheinlich. Aber sie können nicht sehr zahlreich sein, sonst wären sie uns schon vorher aufgefallen.«

»Und – ist es so ein Hai gewesen, den Cris gesehen hat?«

Es war Camelo, der die Frage stellte. Wie auf Kommando wandten sich die Köpfe dem blonden Jungen zu. Cris schräge gelbe Augen folgten den Dreiecksflossen, die in immer größerem Abstand das Schiff umkreisten.

»Ich weiß nicht«, murmelte er. »Vielleicht . . .«

Aber Charru hatte das bestimmte Gefühl, daß er der Antwort absichtlich auswich.

III.

Flugzeuge kreisten über den Ruinen von New York.

Vier schlanke silberne Maschinen, die das letzte Sonnenlicht in gleißenden Reflexen zurückwarfen. Das Heulen der Triebwerke schwoll zum hohen, grellen Singen an, ließ sekundenlang die Luft vibrieren und mäßigte sich zum verebbenden Grollen, als das kleine Geschwader über die Totenstadt hinwegzog.

In Bar Nergals Ohren war der Höllenlärm Musik.

Der Oberpriester stand auf dem Dach des höchsten noch erhalten gebliebenen Gebäudes, jenem schwindelerregenden Turm aus Stahl und Beton, der auch den Tiefland-Kriegern nach der Landung der »Terra« schon einmal als Aussichtspunkt gedient hatte. Wind zerrte an der roten Robe, die jetzt von einem Gürtel aus geflochtenen Plastikschnüren zusammengehalten wurde. Bar Nergals tiefliegende schwarze Augen funkelten, während er den Flugzeugen nachblickte, die nur noch silbrige Punkte am Himmel waren.

Seine Armee!

Eine Streitmacht, die Furcht und Schrecken verbreitete, die seine Gegner zerschmettert und ein ganzes Dorf im Bombenhagel vernichtet hatte! Waffen und Maschinen, die ihn jedem anderem Volk der Erde überlegen machten! Er, Bar Nergal, würde diesen Planeten beherrschen. Er hatte die Macht, jeden zu unterwerfen, der es wagte, sich ihm in den Weg zu stellen . . . Macht – das Zauberwort, das in seinem Leben von jeher die wichtigste Rolle spielte.

Unter dem Mondstein hatten ihm die schwarzen Götter diese Macht verliehen. Jetzt war er selbst es, den das Volk der toten Stadt als Gott verehrte. – Und mit der Technik aus der Vergangenheit war er unbesiegbar.

Die Vision seiner zukünftigen Herrschaft ließ ihn die gähnende Tiefe unter sich vergessen, die Häßlichkeit der endlosen Trümmerfelder, alles.

Ringsum duckten sich die kleinen, fellbedeckten Bewohnerinnen der Ruinenstadt angstvoll hinter die Brüstung des windgepeitschten Dachs. Eine Eskorte wilder Katzenwesen, ein Thron, den mutierte Ratten zogen, Untertanen in finsteren Kellerlöchern und eine zugige Lagerhalle als Behausung – diese Dinge berührten Bar Nergal kaum, obwohl sie seinen glänzenden Zukunftsvisionen widersprachen. Sie bedeuteten nichts. Wichtig waren allein die Waffen. Und diejenigen, die damit umgehen konnten und bereit waren, ihr Leben zu riskieren, weil ihr Glaube ihnen befahl, den »Göttern« von den Sternen zu dienen.

Bar Nergal wandte sich ab, als das Heulen der Triebwerke wieder anschwoll.

Ein Wink brachte seine Anhänger in Bewegung. Zai-Caroc mit den scharfen Zügen und den fanatisch funkelnden Augen trug das Lasergewehr. Der düstere schwarzhaarige Shamala beeilte sich, die Tür zu öffnen, die auf die steile Treppe führte. Die Angst vor einem Vernichtungsschlag der Marsianer hatte die beiden Priester bewogen, Bar Nergal zu folgen und sich von den übrigen Terranern zu trennen, genau wie Beliar und Jar-Marlod, ein paar Akolythen und wenige Tempeltal-Leute. Berechtigte Angst. Das alte Ionen-Raumschiff war zerstört worden. Die Anhänger des Oberpriesters hielten sich für die einzigen Überlebenden und glaubten, das bessere Los gezogen zu haben. Trotz der trostlosen Umgebung, trotz der bedrohlichen Anwesenheit eines Heers wolfsgroßer mutierter Ratten – und trotz des Wahnsinns, den sie bisweilen in Bar Nergals Augen glimmen sahen.

Eine Sänfte wartete im obersten Stockwerk der Hochhaus-Ruine: ein groteskes Gebilde, das aus einem weißen Kunststoff-Sitz und geflochtenen Tragriemen bestand. Grotesk wirkte auch der fahrbare Thron tief unten auf der geborstenen, mühsam vom Schutt freigeräumten Straße. Charilan-Chi, Königin des gespenstischen Bienenstaates, verneigte sich tief. Sie war fast völlig menschlich, wenn man von den schrägen gelben

Augen absah, die eher den Raubtierlichtern ihrer Kriegerinnen glichen. Eine Flut goldener Locken umgab das feinknochige Gesicht, in dem sich puppenhafte Schönheit mit animalisch-wilden Zügen mischte. Sie verstand die Sprache der »Götter«, hatte stets ihre unverständlichen Gesetze befolgt und fühlte sich nun am Ziel ihres Lebens. Denn ein »Gott« war von den Sternen herabgestiegen, um endlich seinen Platz als oberster Herrscher einzunehmen und das Volk der toten Stadt wieder groß zu machen.

Bar Nergal lauschte dem Heulen der landenden Flugzeuge, während er den schwankenden Thron bestieg und Charilan-Chi zu seinen Füßen Platz nahm.

Das Rattengespann setzte sich in Bewegung, die Räder rumpelten. Morgen, überlegte Bar Nergal, würde er die schlittenartigen Fahrzeuge ausprobieren lassen, die sie in der Nähe der Flugzeug-Hangars entdeckt hatten und die den Eindruck machten, besonders im Wüstensand tauglich zu sein. Sie mußten ihre Umgebung erkunden, die Natur beherrschen lernen. Wo sie erschienen, würde man sich vor ihnen beugen. Andere, bessere Untertanen würden ihm, Bar Nergal, dienen, würden sich danach drängen, ihm Paläste zu errichten und . . .

Jähes Geschrei unterbrach seine Gedanken.

Die fauchenden, unartikulierten Laute der Katzenfrauen und andere Stimmen, die menschlicher klangen, obwohl sie die gleiche Sprache benutzten. Charilan-Chi hatte erschrocken den Kopf gehoben. Der schwankende Thron näherte sich dem Areal des ehemaligen Raumhafens, und Minuten später waren im letzten Licht der Abendsonne die vier Flugzeuge zu sehen.

Weder Bar Nergal noch die anderen Priester hätten je gewagt, eine der Maschinen zu lenken.

Charilan-Chis Söhnen ließ der »göttliche« Befehl keine Wahl. Daß sie es tatsächlich geschafft hatten, verdanken sie der Ausbildung durch Marius Carrisser – und einer perfekten Technik, die nicht einmal bei Start oder Landung besondere Anforderungen an den Piloten stellte. Eins der Flugzeuge war bei einem

Angriff auf die »Terra« von den Energiewerfern getroffen worden. Und jetzt hatte, wie Bar Nergal erkannte, ein anderes bei der Landung ein paar unvorsichtige Katzenwesen mit seinem glühenden Triebwerkstrahl erwischt.

Charilan-Chi wurde bleich, als sie die verkohlten Körper sah.

Einer der Akolythen wandte sich würgend ab, selbst die Priester hatten Mühe, mit dem Anblick fertig zu werden. Der Pilot der Maschine stand bereits auf dem geborstenen Beton. Che mit dem schwarzen Haar und der dunklen Haut, die ihm ein Mann aus Yatturs Fischervolk vererbt hatte, einer der Sklaven seiner Mutter.

Er starrte Bar Nergal an.

Der Oberpriester befahl mit einer Handbewegung, die Leichen wegzuschaffen. Dann stutzte er, als er in den Augen des Jungen las. Ches Kiefermuskeln spielten. Die Katzenwesen, für die Priester nicht mehr als Tiere, waren sein Volk. Er hatte zu oft miterlebt, wie sie sinnlos in den Tod geschickt wurden. Sein Bruder Chaka lebte nicht mehr, seinen Bruder Cris hielt er ebenfalls für tot. Die Auflehnung, die wie ein winziger Funke in Che erwacht war, als Cris damals die Menschen der »Terra« zu warnen versuchte, wurde jäh zur wilden Flamme.

»Sie hätten nicht sterben müssen!« stieß er hervor.

»Ein Unglück«, sagte Charilan-Chi beherrscht. »Dich trifft keine Schuld, also . . .«

»Ein Unglück, das nicht hätte geschehen müssen! Wozu brauchen wir jetzt noch Flugzeuge, Bomben und Waffen? Zu welchem Zweck sollen wir uns immer wieder in Gefahr begeben? Ich will nicht mehr!«

Sekundenlang war die Stille tief und lastend.

Che verstummte, erschrocken über seine eigenen Worte. Seine Brüder starrten ihn an: Ciran, der den »Göttern« mit dem Eifer seiner vierzehn Jahre diente, Chan und Croi, die erst nach Chakas Tod und Cris' Verrat gelernt hatten, mit den Flugzeugen umzugehen. Keiner von ihnen hätte gewagt, Bar Nergal zu widersprechen. Auch Che nicht – wären da nicht die leblosen, verkohlten Opfer gewesen, an deren Tod er sich schuldig fühlte.

»Du willst nicht mehr?« fragte der Oberpriester schneidend. »*Was* willst du nicht mehr?«

»Flugzeuge fliegen! Maschinen und Waffen benutzen, von denen nur Unheil kommt! Das will ich nicht mehr.«

Der Trotz in der Stimme des Jungen entsprang dem Wissen, daß er der Strafe so oder so nicht mehr entgehen konnte. Bar Nergal keuchte vor Wut.

»Aufruhr!« krächzte er. »Frevel! Aber ich werde dich Gehorsam lehren. Auf dem Bauch wirst du vor mir kriechen und um Gnade flehen. – Jar-Marlod!«

Der bärtige Priester lächelte, als er die Peitsche aus dem Gürtel zog. Charilan-Chi wurde blaß und machte eine beschwörende Geste.

»Erhabener . . .«, begann sie.

»Willst du ihn schützen? Willst du seinen Ungehorsam dulden?«

»Nein, Erhabener, nein! Aber er ist jung. Er meint es nicht so. Ich bitte dich, verschone ihn für diesmal!«

Bar Nergals Blick bohrte sich in Ches Augen. »Du wirst gehorchen?«

Langsam schüttelte der Junge den Kopf.

Angst würgte ihn. Aber in diesen Sekunden sah er den Oberpriester so, wie er war: ein fanatischer, geifernder Greis, der nichts Göttliches hatte. Che brachte es nicht fertig, ihn anzubetteln. Noch nicht. Und als er es dann eine endlose Zeitspanne später doch tat, geschah es mit letzter Kraft, mit leiser, tonloser Stimme und niedergeschlagenen Augen, die nichts mehr von dem Haß verrieten, der in ihm erwacht war.

Ein blinder, verzehrender Haß, der sich noch im Nebel halber Bewußtlosigkeit zu einem Entschluß formte.

*

Im ersten Morgenlicht schien die Insel wie eine zauberische Vision aus dem Dunst zu tauchen.

Palmen und fremdartige Blüten, perlmuttschimmernder Sand und Felsen, an denen sich schäumend die Brandung brach. Die aufgehende Sonne sog rasch die Feuchtigkeit auf, vertrieb die Dunstschleier und ließ den Himmel in klarem Blau strahlen. Einzelne weiße Wolken trieben gemächlich dahin. Alles war genauso, wie es in den Legenden der Fischer berichtet wurde – und doch spürte Charru nagende Unruhe, als sehe er nur ein verlockendes Trugbild, hinter dem sich eine andere, gefährlichere Wirklichkeit verbarg.

Lag es an der unklaren Furcht, die er manchmal in dem blassen, angespannten Gesicht des kleinen Robin lesen konnte?

Der Blinde war noch stiller, noch in sich gekehrter als sonst. Etwas quälte ihn, aber er sprach kein einziges Mal mehr davon, genausowenig, wie Cris von dem unbekannten Wesen sprach, das er im Wasser entdeckt zu haben glaubte. Charru zog jedesmal die Brauen zusammen, wenn er daran dachte. Unsinn, versuchte er sich einzureden. Cris hatte einen Fisch gesehen oder vielleicht ein zufälliges Spiel von Licht und Schatten. Robin litt unter der gespannten Atmosphäre an Bord, die sich aus dem Platzmangel ergab. Selbst die Ruhigsten, Besonnensten unter ihnen reagierten bisweilen gereizt. Jarlon und Erein waren sich über eine Nichtigkeit so heftig in die Haare geraten, daß Karstein sie mit Gewalt daran hindern mußte, aufeinander loszugehen. Immer noch litt ein Dutzend Menschen unter der Seekrankheit, Frauen beklagten sich über alle möglichen Kleinigkeiten, die Kinder, in ihrem Bewegungsdrang eingeschränkt, langweilten sich und waren unleidlich. Lange, begriff Charru, konnten sie nicht zusammengepfercht auf diesem Schiff bleiben. Die Probleme, die Yattur mit Proviant und Trinkwasser hatte, nahmen sich unter diesen Umständen fast erfrischend konkret und handfest aus.

Die Wasserfässer wollten sie auf der Insel füllen, die vor ihnen lag.

Aus schmalen Augen betrachtete Charru den langgestreck-ten, sichelförmigen Buckel mit dem vorgelagerten Riff. Zu-wenig Raum für rund hundert Menschen. Aber wie groß mußte eine solche Insel eigentlich sein, um ihnen Platz zu bieten? Wieviel Wasser brauchten sie, wieviel Boden, welche natür-lichen Gegebenheiten? Dies hier war eine völlig fremde Welt, die in nichts den Steppen des Tieflands unter dem Mondstein glich und die auch Yattur nur aus Legenden kannte. Eine schöne, sonnige, verlockende Welt. und doch . . .

Charru zuckte zusammen.

Müßig war sein Blick über die Kette der Riffe geglitten, jetzt starrte er dorthin, wo er im Schatten zwischen den roten Felsen einen hellen Flecken wahrnahm. Lichtreflexe? Ein gischtge-krönter Wasserwirbel? Für den Bruchteil einer Sekunde war Charru sicher gewesen, eine Gestalt zu sehen. Angestrengt spähte er hinüber, mit angehaltenem Atem, dann nahm er jäh die huschende Bewegung wahr.

Etwas löste sich von dem roten Felsen, glitt pfeilgerade ins Wasser und verschwand in der Tiefe der Lagune jenseits des Riffs.

Es *war* eine Gestalt gewesen. Eine menschenähnliche Gestalt, hell schimmernd, geschmeidig wie ein Fisch – und jenen schwarzen Bestien, die Lara Haie nannte, vollkommen unähnlich.

Charru preßte die Lippen zusammen, als er sich der jungen Venusierin zuwandte. »Lara – glaubst du, daß sich Cris viel-leicht doch nicht geirrt hat? Daß so etwas überhaupt möglich ist? Menschen, die im Wasser leben?«

»Aquarianer . . .« Ihre Stimme klang nachdenklich. »Ich weiß es nicht, Charru. Es gibt wenig, was die Kräfte der Evolution nicht möglich machen, wenn der Selektionsdruck entsprechend stark ist. Damals, als die Menschen vor der Großen Katastrophe ihre Ökologie fast völlig zerstört hatten, beschäftigten sich die Theoretiker ganz ernsthaft mit der Frage, ob der Mensch nicht ohnehin am Ende ins Meer zurückkehren müsse. Und wenn nach der Katastrophe überhaupt noch Leben auf der Erde existierte, dann sicher in der Tiefsee. Es könnte sich weiterentwickelt haben, auch an die Oberfläche zurückgekehrt sein – auf abgelegenen, nur wenig verseuchten Inseln zum Beispiel.«

»Zu menschenähnlichen Formen entwickelt?«

»Warum nicht? Wenn die Verhältnisse auf der Erde lange Zeit so waren, daß das Meer bessere Lebensbedingungen und mehr Sicherheit bot – warum sollten keine intelligenten Lebensformen unter Wasser entstehen? Und was die menschenähnliche Gestalt angeht – eine Lebensform, die genug Intelligenz entwickelt, um ihre Umwelt aktiv verändern zu wollen, wird schließlich auch Hände zum Greifen ausbilden. Und vielleicht Füße, um sich notfalls über Land fortbewegen zu können.«

Aus Laras Stimme klang das Interesse der Wissenschaftlerin.

Charru hörte zu, doch sein Blick tastete immer noch suchend die Riffe ab. Hände zum Greifen, klang es in ihm nach. Füße, um sich an Land fortzubewegen. Und eine Sprache, um sich zu verständigen? Eine Sprache vielleicht, die nicht aus Worten bestand, sondern ganz anders war? Irgendeine fremde Kraft, die Robin mit seinem feinen Instinkt erspürt haben mochte?

»Hast du etwas gesehen?« fragte Lara alarmiert.

Charru wandte wie erwachend den Kopf. Mit einem tiefen Atemzug hob er die Schultern.

»Etwas oder jemanden«, meinte er gedehnt. »Wahrscheinlich nur Einbildung. Wir werden es herausfinden.«

*

Marius Carrisser und zwei Offiziere hatten sich wohl oder übel bereit gefunden, als Gäste in den kläglichen Überresten der Siedlung zu bleiben, die von den Rebellen »Merkuria« genannt wurde.

Carrisser verstand, daß Mark Nord Sicherheiten gegen einen Überraschungsangriff mit den Waffen der »Deimos I«

brauchte. Vor zwanzig Jahren hatten schon einmal marsianische Schiffe dieses sogenannte »Merkuria« bombardiert. Einiges war inzwischen wiederaufgebaut worden, die notwendigsten technischen Systeme funktionierten. Die Klimaanlagen zum Beispiel. Das Kraftwerk, das Wind und Sonne gleichermaßen nutzte, um erschöpfte Energiezellen aufzufüllen. Die Besatzungen der marsianischen Kampfschiffe hatten es damals nicht für nötig gehalten, die Trümmer zu beseitigen und die Ausrüstung der Merkur-Siedler zurückzutransportieren. Carrisser hätte gern gewußt, was im einzelnen vorhanden war, an Waffen und Technik vor allem. Aber sein Versuch, sich zwischen den Gebäuden umzusehen, wäre auch ohne die Anwesenheit von zwei vermummten Wächtern an der eisigen Kälte gescheitert.

Wer auf einem solchen Planeten leben wollte, mußte verrückt sein.

Carrisser grübelte vergeblich darüber nach, was einen Menschen dazu bringen konnte, sich an diese hitzeglühende, frostzerfressene Einöde zu klammern. Falls die Siedler nachgaben und sich mit dem Status einer Kolonie einverstanden erklärten, waren die Vollzugs- und Verwaltungsbeamten, die zwangsläufig hier erscheinen mußten, nur zu bedauern. Und Carrisser glaubte felsenfest daran, daß Mark Nord und seine Gefährten nachgeben würden.

Die ganze Nacht über hatten sie in dem großen Gemeinschaftsgebäude diskutiert.

Die Gruppe, die teils Carrissers Unterkunft bewachte, teils die »Deimos« und ihr eigenes Schiff im Auge behielt, gehörte zum harten Kern der Rebellen. An ihrer Entscheidung gab es ohnehin keinen Zweifel: sie würden eher auf einem freien Merkur sterben als von neuem im Sklavenstaat der Vereinigten Planeten leben. Aber es existierten auch andere Meinungen. Einige der jüngeren Männer, die sich den Siedlern erst auf Luna angeschlossen hatten, begannen diesen Schritt allmählich zu bereuen. Andere schwankten noch und verlangten nach genaueren Informationen. Selbst Mikael war jetzt, da die Straf-kolonie hinter ihnen lag, nicht mehr völlig sicher, ob ein Leben in relativer Sicherheit nach den Gesetzen der Marsianer einer völlig ungewissen Zukunft nicht vorzuziehen sei.

»Sie würden uns doch auch unterstützen«, sagte er langsam. »Vieles würde leichter werden und . . .«

». . . und sie würden die Befolgung ihrer Gesetze erzwin-gen«, vollendet Mark Nord. »Das hieße Vollzug auf dem Mer-kur, und es hieße eine Verwaltung nach marsianischem Muster.«

»Wer sagt das?« fragte jemand im Hintergrund.

»Ich sage das.« Raul Madson stand auf und stützte sich mit beiden Händen auf den langen Tisch. »Ein Teil von euch hat immer noch nicht begriffen, worum es geht. Wenn wir Simon Jessardins Vorschlag akzeptieren, hätte der Merkur den Status einer relativ rechtlosen Kolonie. So lange, bis er als selbständi-ger Planet lebensfähig ist.«

»Aber wir *sind* lebensfähig, wir . . .«

»Nicht nach den Begriffen der Föderation. Sie dulden keine Gemeinschaft, die nach anderen Gesetzen funktioniert als ihren eigenen, begreift ihr das nicht? Wir müßten ihre Strafge-setze übernehmen, die Euthanasie-Gesetze, das staatliche Erziehungssystem – alles.« Madsen machte eine Pause und lächelte einem hageren jungen Mann zu, der seinen Worten gebannt lauschte. »Du, Milt, würdest zum Beispiel mit deinem Intelligenzquotienten an der Universität von Kadnos landen – nach einer psychiatrischen Behandlung, wohlgemerkt.«

»Den Teufel!« fuhr der Junge auf.

»Du würdest! Auch das gehört zu den Gesetzen, die einige von euch offenbar zu akzeptieren bereit sind. Wir wären gezwungen, diese Gesetze durchzusetzen, weil die Behörden uns kontrollieren würden. Und wenn wir uns dagegen auflehn-ten, geschähe genau das, was auch passieren wird, wenn wir den Vorschlag von vornherein ablehnen.«

»Und das wäre?« fragte Mikael.

Mark Nord strich sich das Haar zurück. Allmählich, dachte er erleichtert, gewann die endlose Diskussion zumindest klare Fronten.

»Wahrscheinlich wird man uns angreifen«, beantwortete er die Frage. »Vielleicht nicht sofort, da Jessardin offenbar politische Schwierigkeiten mit der Venus hat. Aber am Ende doch. Das System verträgt keine Außenseiter. Sie haben Angst davor, Mikael, sie haben Angst, daß alles, was sie nicht genauestens unter Kontrolle halten, eines Tages zur Saat einer neuen Katastrophe werden könnte. Und dabei haben sie im Prinzip nicht einmal so unrecht.« Mark verzog die Lippen zu einem bitteren Lächeln. »Die Freiheit *ist* ansteckend. Frieden und Ordnung sind viel leichter unter gehorsamen Marionetten aufrechtzuhalten, und unsere Art zu leben impliziert tatsächlich ein gewisses Maß an Unsicherheit und Fehlentwicklungen. Aber wenn man das alles ausradiert, dann ist überhaupt kein lebenswertes Leben mehr möglich.«

Einen Augenblick blieb es still.

»Stimmt genau«, sagte Ken Jarel trocken. »Wenn ich mich recht erinnere, war meine Zelle auf Luna ein sehr sicherer, friedlicher und wohlgeordneter Aufenthaltsort. Und trotzdem zieht es mich nicht dorthin zurück.«

»Und was passiert, wenn sie uns tatsächlich angreifen?« fragte Mikael beharrlich.

»Dann wehren wir uns. Wir haben Waffen, und wir haben Verstecke. Es ist nicht so einfach, wie du glaubst, einen ganzen Planeten zu zerstören und alles Leben zu vernichten.«

»Ein paar Atombomben . . .«

»Atomwaffen sind innerhalb der Föderation offiziell geächtet. Jessardin wird niemals die Zustimmung des Rates dafür bekommen, einen Planeten des Sonnensystems radioaktiv zu verseuchen.«

»Das braucht er ja auch gar nicht. Vor zwanzig Jahren genügten ein paar Kampfschiffe, oder?«

»Vor zwanzig Jahren waren wir eine Gruppe junger Leute,

die mit ihrem Widerstand ein Zeichen setzen wollten«, sagte Mark. »Wir haben den eigentlichen Kampf vor Gericht geführt, weil wir uns einbildeten, daß man uns zuhören würde. Den gleichen Fehler werden wir kein zweites Mal machen. Diesmal geht es auf Biegen und Brechen, und ich für meinen Teil glaube, daß wir zumindest eine Chance haben.«

»Du *willst* es glauben«, knurrte jemand.

»Möglich.« Mark zuckte die Achseln. »Ich werde mich der Mehrheit beugen. Noch Fragen, oder können wir abstimmen?«

Nur vier von gut dreißig Männern stimmten dafür, das Angebot des Präsidenten zu akzeptieren.

Mark lächelte und straffte die Schultern. Sein Blick musterte die erschöpfte, übernächtigte Versammlung.

»Damit ist es entschieden«, stellte er fest. »Ich weiß nicht, wer von euch für Carrissers Vorschlag gestimmt hat. Falls sich diejenigen jetzt von uns trennen möchten, sollen sie es sagen. Das marsianische Schiff kann sie mitnehmen. Ich glaube nicht, daß ihnen in Kadnos viel passieren wird.«

Sekundenlang wurde es still.

Einer der Rebellen – ein braunhaariger älterer Mann namens Martell – schüttelte langsam den Kopf. Mit einem tiefen Atemzug meldete er sich zu Wort.

»Ich habe für Jessardins Angebot gestimmt, weil ich immer noch glaube, daß wir uns mit den Behörden arrangieren könnten«, sagte er. »Hier auf dem Merkur! Aber nach Kadnos zurück? Wieder als Marionette an den Fäden der Computer tanzen? Wieder wissen, daß für den Rest meines Lebens allenfalls noch das Bildwand-Programm Überraschungen bieten wird? – Nein, nie!«

Damit war alles gesagt. Auch von den anderen Männern entschied sich niemand dafür, den Merkur zu verlassen. Sie hatten gewählt. Und als sich die Versammlung auflöste, spiegelte auch das letzte Gesicht die grimmige Entschlossenheit, allem zu trotzen, was die Zukunft bringen mochte.

*

Das Holzschiff umrundete in langsamer Fahrt die Insel.

Da die Gewässer in der Nähe der Riffe von Fischen wimmelten, hatte Yattur die beiden Netze ausbringen lassen. Ein Teil der Männer wuchtete einfache Fässer an Deck. Wenn sich die Insel als ungefährlich erwies, würden sie die Ausbeute später am Strand über offenen Feuern braten. Und ob es irgendwelche unbekannten Gefahren gab, wollten zwei weitere Gruppen mit den beiden Booten erkunden.

Karstein kommandierte das größere Fahrzeug, das Hunon und ein paar Nordmänner bereits über die Lagune lenkten.

Sie hatten Wasserfässer an Bord, weil sie vor allem nach einer Quelle suchen mußten. Um möglichen Proviant würden sie sich später ebenfalls kümmern. Das zweite, kleinere Boot dümpelte an der Jakobsleiter und wurde nachgeschleppt. Es faßte nicht mehr als vier Männer, doch dafür war es wendig und ließ sich leicht zwischen Riffen und Untiefen manövrieren. Charru stand noch oben am Schanzkleid, suchte die zerklüftete, unregelmäßige Barre mit den Augen ab und versuchte, das Risiko einzuschätzen, das ein so kleines Kommandounternehmen bedeutete.

Sie wußten nichts über die seltsamen Wasserwesen – falls es sie wirklich gab.

Aber wenn sie existierten, wenn sie im Gebiet der Südinseln vielleicht sogar verbreitet waren, dann konnten die Terraner sie so oder so nicht ignorieren. Dann mußten sie zumindest wissen, ob sie Mensch oder Tier vor sich hatten, Freund oder Feind . . .

»Charru!«

Ein halb erschrockener, halb faszinierter Schrei ließ ihn herumfahren.

An der Steuerbordseite wurde gerade eins der Netze hochgezogen. Glitzernde, wimmelnde Fischleiber ergossen sich in die bereitstehenden Fässer. Und dazwischen bewegte sich etwas, das selbst aus der Entfernung so völlig fremdartig wirkte, daß Charru unwillkürlich den Atem anhielt.

Mit wenigen Schritten überquerte er das Deck.

Jarlon war es, der seinen Namen gerufen hatte. Camelo, Gerinth und Lara folgten ihm, Yattur kam von der Brücke. Stumm standen sie am Steuerbord-Schanzkleid und starrten das Wesen an, das sich in die Maschen des Netzes verkrallt hatte.

Weder Fisch noch Mensch.

Ein kleines, geschmeidiges Geschöpf, nackt und glatthäutig, das Arme und Beine besaß, Schwimmhäute zwischen Fingern und Zehen, einen seltsam geformten Kopf mit großen, leuchtenden Augen. Ein Wesen, das vor Angst wie versteinert wirkte, an dem sich nur diese Augen bewegten und dessen Ausdruck, so rätselhaft er sein mochte, einen Grad von Bewußtheit verriet, der keinen Zweifel daran ließ, daß es mehr als ein Tier war.

»Cris?« fragte Charru leise.

»Ja«, murmelte der Junge. »So ähnlich sah die Gestalt aus, die ich gesehen habe. – Nur viel größer, fast so groß wie wir. Dies hier muß ein Kind sein.«

IV.

Zwischen den Ruinen von New York begann die Dämmerung mit malvenfarbenen Schatten.

Der Schnee war geschmolzen, aber der Wind, der vom Meer durch geborstene Wände und zerstörte Straßenschluchten pfiff, brachte immer noch empfindliche Kälte mit. Che fröstelte und zog das graue Rattenfell enger um die Schultern. Der Schmerz in seinem Rücken hatte nachgelassen. Der Haß nicht. Aus zusammengekniffenen Augen starrte der Junge zu dem niedrigen, langgestreckten Gebäude am Rande des Raumhafen-Areals hinüber, wandte sich dann nach rechts und schlug einen weiten Bogen.

Seit die »Terra« zerstört worden war, streiften die Ratten

wieder frei herum, statt den Schlupfwinkel der Priester zu bewachen. Die Priester – oder waren sie doch Götter? – empfanden aus irgendeinem Grunde Abscheu vor den Ratten. Ches Volk dienten sie seit jeher als Reittiere, Kampfgefährten und Helfer. Der Junge wußte, daß er nur zu pfeifen brauchte, um mindestens ein Dutzend davon um sich zu versammeln. Später vielleicht, dachte er. Um seine Flucht zu decken. Oder sich zu wehren, wenn er zu früh bemerkt wurde.

Konnten die Ratten etwas gegen Götter ausrichten?

Waren die Götter sterblich?

Che biß die Zähne zusammen, während er weiterschlich. Fragen wirbelten in seinem Kopf, Ängste, Erinnerungen an die Legenden seiner Kindheit. Die Legenden sagten die Wahrheit. Es gab wirklich Wesen, die von den Sternen kamen. Aber sie waren zu viele, zu uneins, den Menschen zu ähnlich, um wirklich Götter zu sein. Cris hatte es gewußt, als er die Fremden in ihrem Raumschiff zu warnen versuchte. Che war sich nicht ganz sicher – doch ihm genügte der Haß, den er mit jeder Faser spürte.

Er packte den schmalen Dolch fester.

Auf leisen Sohlen huschte er zu dem ehemaligen Lagerhaus hinüber. Licht schimmerte durch die schmalen Fensterluken und ein paar Risse in den Wänden. Der Junge kannte das Gebäude, kannte vor allem das vielfältige, nur zum Teil zerstörte Netz von Schächten und Rohren, das es mit der Umgebung verband. Noch einmal sah Che sorgfältig in die Runde, ließ den Blick über die Ruinenfelder gleiten, über die silbernen Flugzeuge, die jetzt nicht mehr versteckt werden mußten, über die anderen Schuppen und Hallen, in deren Kellergewölben noch so viele unbekannte Waffen ruhten. Waffen einer längst verschollenen Rasse. Der gleichen Rasse, die vor langer Zeit all das erbaut hatte, was jetzt in Trümmern lag, die mit ihren Waffen den eigenen Untergang heraufbeschworen hatte. Che wußte, daß er im Recht war, wenn er glaubte, daß es nur Unheil bringen konnte, an diesen Dingen zu rühren. Aber er wußte auch, daß Recht und Unrecht für die Fremden von den Sternen keine Rolle spielten. Wenn man sich gegen sie auflehnen wollte, gab es nur einen Weg . . .

Widerstrebend löste der junge Mann die Finger vom Griff des Dolchs und duckte sich in den Schatten einer schräg über Steintrümmern liegenden Betonplatte.

Geschmeidig wie eine Schlange kroch er über den Boden, bis seine Hände den Einstieg in eine der Röhren ertasteten, die das ganze riesige Trümmerfeld durchzogen und deren ursprünglichen Zweck niemand mehr kannte. Glitschige Algen bedeckten die Innenwände, Che hörte das Schmatzen von Schlamm unter seinem Körper. Minuten später erreichte er einen halb verfallenen Keller, richtete sich auf und lauschte.

Monotoner Singsang.

Gebete und Beschwörungen in der Sprache der Götter, endlose Litaneien, deren Sinn Che nicht verstand. An wen richteten sie sich? Wer mochte es sein, dem selbst die Fremden von den Sternen dienten? Che ahnte nicht, daß Bar Nergals Anhänger es nicht einmal selbst wußten. Die schwarzen Götter hatten nie existiert außer in der Gestalt verkleideter marsianischer Wachmänner. Die »wahren Götter«, die der Oberpriester jetzt an ihre Stelle setzte, blieben ungreifbare Schemen, seiner Phantasie entsprungen, weil er sie als Rechtfertigung für seine Herrschaft brauchte.

Vorsichtig kletterte Che über einen Schuttberg, bis er mit den Fingern ein Loch in der Decke erreichen konnte.

Der monotone Singsang wurde lauter, als sich der Junge geschmeidig hochzog. Nur noch eine schief in den Angeln hängende Tür trennte ihn von der Halle, in der sich die Priester aufhielten. Che zögerte. Furcht überkam ihn. Aber dann hörte er Bar Nergals krächzende Greisenstimme, und der Haß erwachte von neuem.

Lautlos zog er die Tür auf.

Fackeln und eine fahle Energiezellen-Lampe erhellten den großen Raum. Priester, Akolythen und Tempeltal-Leute kauerten am Boden und intonierten mit entrückten Gesichtern ihre Gesänge. Aber Ches unverbildete Sinne spürten, daß ein Teil dieses fast trancehaften Zustandes nur geheuchelt war. Das kleine Grüppchen hatte sich Bar Nergal aus Furcht davor angeschlossen, zusammen mit den Menschen aus der »Terra« von den Marsianern umgebracht zu werden, nicht aus Furcht vor den »wahren Göttern«. Sie beteten, weil es ihnen befohlen wurde. Sie gehorchten, weil es keinen Ausweg mehr für sie gab, weil sie nirgendwohin fliehen konnten, weil sie hoffnungslos in der Falle saßen.

Nur die vier Priester in den schwarzen Kutten der höchsten Kaste genossen ihre Machtstellung.

Ches Blick heftete sich auf Zai-Caroc, der ständig das Lasergewehr trug. Die zweite Waffe, von den Tiefland-Kriegern erbeutet, war irgendwo versteckt. Einen Moment lang erwog Che, in das nächste unterirdische Gewölbe zu schleichen und eine der Sprenggranaten zu benutzen. Dann schüttelte er unbewußt den Kopf. Die Erinnerung an zerfetzte Körper, Blut und Geschrei überwältigte ihn. Der Dolch war sicherer, war eine saubere Waffe.

Mit gespannten Muskeln schlich der Junge an der Wand entlang, tief hinter Gerümpel und alle möglichen Behältnisse geduckt, die sich dort stapelten. Bar Nergal wandte ihm den Rücken. Hoch aufgerichtet stand er da, mit weit ausgebreiteten Armen, im Vollgefühl seiner Macht – und der Anblick löschte Ches letzte Hemmung davor aus, seinen Gegner hinterrücks zu töten.

Blitzartig federte der Junge aus seiner Deckung.

Der Dolch lag in seiner Rechten. Mit einem Sprung überwand er einen Wust verbogener Plastikteile schnellte vorwärts und hörte wie aus weiter Ferne Zai-Carocs erschrockenen Schrei.

In letzter Sekunde spürte der Oberpriester die Gefahr und wirbelte halb herum.

Der Dolch, auf sein Herz gezielt, fuhr in die knochige Schulter. Che spürte, wie die Klinge abglitt, riß sie hastig zurück. Bar Nergal schrie, hoch und kreischend. In einer blinden Abwehrbewegung schlug er um sich, wollte zurückweichen und stolperte dabei über den Saum seiner roten Kutte.

Hart stürzte er zu Boden.

Wie Schatten sah Che die Gestalten der anderen auf sich zuhetzen. Bar Nergals kahler Schädel prallte in dem Augenblick gegen den Beton, als sich Che von neuem auf ihn stürzte. Mit seinem ganzen Gewicht landete der Junge über dem hageren Körper. Der Dolch beschrieb einen gleißenden Bogen durch die Luft. Che sah aufgerissene schwarze Augen, blutleere Lippen, die sich wie in einem stummen Schrei öffneten, dann das Zucken, mit dem das ausgemergelte Greisengesicht erschlaffte. Ein Wehrloser, ohnmächtig . . . Nur eine halbe Sekunde blieb Ches Faust in der Schwebe, zögerte er, dem Oberpriester die Klinge in die Brust zu stoßen. Eine entscheidende halbe Sekunde zu lange . . .

Ein Tritt schleuderte Che nach vorn.

Funken sprühten, als der Dolch über den Beton scharrte. Mit einem scharfen Knacken brach die Klinge. Der Junge warf sich herum, benommen vor Schmerz. Wie durch roten Nebel sah er die Gestalten in den Kutten, die wutverzerrten Gesichter. Aus, schrie es in ihm. Sie würden ihn töten. Verzweifelt zog er die Beine an, federte hoch, und wie durch ein Wunder gelang es ihm, unter den zupackenden Fäusten hinwegzutauchen.

Blindlings rannte er los, prallte nach zwei Schritten mit dem Schienbein gegen eine Kante und stürzte. Schmerz zuckte durch Ellenbogen und Knie. Ein jäher, glutheißer Schmerz, der den Nebel der Benommenheit durchschnitt und die wirbelnden, angstgepeitschten Gedanken klärte.

Das Lasergewehr!

Die Erkenntnis, daß die Waffe seine Flucht auf jeden Fall stoppen würde, traf Che wie ein Stich ins Hirn. Er kam hoch, schwang herum. Wo war Zai-Caroc? Nur wenige Schritte entfernt konnte der Junge ihn erkennen, mit verzerrtem Gesicht seitwärts stolpernd, um freies Schußfeld zu gewinnen. Noch lief er Gefahr, die Verfolger zu treffen – doch auch gegen die hatte Che keine Chance ohne Waffe.

Tief ließ er sich in die Knie sacken und federte vorwärts.

Zai-Caroc schrie krächzend auf, als er die Absicht seines Gegners erkannte. Diesmal war es der Priester, der zu lange zögerte. Ziellos fuchtelte er mit dem Gewehr herum, wollte den Lauf senken, doch da prallte Che schon gegen ihn und riß ihn zu Boden.

Mit beiden Fäusten griff der Junge zu und wand Zai-Caroc die Waffe aus den Fingern.

Ein tritt schleuderte den Priester beiseite. Che überschlug sich am Boden, kam keuchend wieder hoch. Sekundenlang sah er nur kreisende Feuerräder, aber er hörte Schritte und Geschrei und drückte blind den Abzug durch.

Fauchend schlug der Feuerstrahl aus der Waffe.

Jemand brüllte auf, Schatten taumelten auseinander. Zischend verschmorte Kunststoff, ließ dichte giftgrüne Schwaden aufsteigen und vernebelte von einer Sekunde zur anderen Ches Blickfeld. Er versuchte, das Lasergewehr in die Richtung zu schwenken, in der er Bar Nergal wußte, aber er war nicht schnell genug.

Von beiden Seiten stürzten sich die Priester auf ihn. Che spürte nur noch einen harten Schlag am Kopf, spürte den Schmerz wie eine Stichflamme durch seinen Körper zucken und brach bewußtlos zusammen.

*

»Es hat Angst«, sagte Katalin energisch. »Wir sind ihm fremd, und wir haben es wie ein Tier eingefangen! Es wird sich bestimmt nicht beruhigen, solange wir alle hier herumstehen und es anstarren.«

»Wenn wir das nicht tun, wird es entwischen«, stellte Lara fest.

Katalin warf ihr einen Blick zu. Laras Gesicht spiegelte in diesen Sekunden die hellwache, angespannte Aufmerksamkeit der Wissenschaftlerin. Charru zog die Unterlippe zwischen die Zähne. Das nackte kleine Geschöpf mit der perlmuttschimmernden Haut und den großen Augen wirkte tatsächlich verängstigt und hilflos, wie es sich da in die Maschen des Netzes krallte.

»Warum soll es denn nicht entwischen?« brummte Hakon. »Wollen wir es etwa gefangenhalten?«

»Davon ist keine Rede«, verteidigte sich Lara. »Aber wir müssen mehr über dieses Wesen wissen. Wir können es untersuchen, uns vielleicht mit ihm verständigen . . .«

Sie stockte.

Das kleine Geschöpf, bis jetzt wie versteinert vor Schrecken, krümmte sich plötzlich zusammen, öffnete den spaltartigen Mund und schrie. Ein hohes, klagendes Geheul, ein jämmerlicher Ton, der durch Mark und Bein ging. Wie ein Hilfeschrei, durchzuckte es Charru. Sein Blick glitt unwillkürlich über Riffe und blaues Wasser, ohne etwas zu entdecken. Dann wandte er sich wieder um, weil Katalin spontan und völlig überraschend reagierte.

Mit einem Schritt stand sie am Schanzkleid, streckte die Hände aus und pflückte das fremde Wesen aus dem Fangnetz, als sei es die selbstverständlichste Sache der Welt.

Die Worte, die sie dabei murmelte, hätten genausogut einem verängstigten menschlichen Kind gelten können. Das kleine Wesen zappelte, schrie womöglich noch jämmerlicher, verharrte dann in zitternder Panik. Verblüfft beobachtete Charru, wie Katalin das Geschöpf in den Armen wiegte. Die richtige Methode offenbar. Es dauerte nur ein paar Sekunden, bis sich der Findling unter den fassungslosen Blicken der anderen beruhigte. Das Geheul verstummte. Zusammengerollt in Katalins Armbeuge spähte das Wesen in die Runde und schien sich für den Augenblick nicht nur sicher, sondern sogar recht wohl zu fühlen.

»Das gibt's doch nicht«, sagte Jarlon kopfschüttelnd.

Camelo lachte leise. »Es muß wirklich ein Kind sein. Aber bevor ihr euch entscheidet, was wir mit ihm machen, denkt bitte daran, daß Kinder im allgemeinen Eltern haben.«

»Bei denen wir vielleicht einmal dringend auf eine Verständigungsmöglichkeit angewiesen sind«, beharrte Lara auf ihrem Standpunkt. »Ich will ihm ja nichts tun, ich . . .«

»Woher soll es das wissen?« fragte Katalin. »Wie würde es dir gefallen, von Fremden so einfach eingesammelt und wissenschaftlich untersucht zu werden?«

»Unsinn! Du siehst doch, daß es keine Angst mehr hat. Wir brauchen uns nur eine halbwegs ruhige Ecke zu suchen.«

»Und wenn es Wasser zum Leben benötigt? Wie ein Fisch?«

»Wir haben Fässer, oder?«

Charru mußte lachen. Katalin erinnerte lebhaft an eine Wildkatze, die ihr Junges verteidigt. In Laras Augen tanzten grüne Funken, wie immer, wenn sie zornig oder erregt war. Die anderen schauten unschlüssig zu. Selbst Gerinth, der Älteste, strich sich einigermaßen ratlos durch sein schlohweißes Haar.

»Wir könnten es immerhin mit einer Verständigung versuchen«, meinte er salomonisch. »Offenbar ist es ja durchaus möglich, dem Wesen zu signalisieren, daß es nichts zu fürchten hat.«

Charru stimmte zu.

Das Aquarianer-Kind – falls diese Bezeichnung zutraf – blieb stumm, als Katalin dem Bug des Schiffes zustrebte. Lara zögerte einen Augenblick, dann nickte sie Dayel zu. Der frühere Akolyth, der mit Bar Nergal gebrochen hatte, folgte ihr sofort. Er war im Tempeltal unter dem brutalen Terror der Priester aufgewachsen. Und seit er selbst die Fesseln einer lebenslangen Angst abgeschüttelt hatte, entwickelte er immer stärker die Begabung, mit verängstigten hilflosen Wesen umzugehen, deren Gemütszustand er aus eigener Erfahrung kannte.

»Wollt ihr unter diesen Umständen immer noch die Riffe untersuchen?« fragte Gerinth gedehnt.

Charru kniff die Augen zusammen. »Warum nicht? Das kleine Geschöpf beweist doch, daß die Aquarianer wirklich existieren, oder?«

»Und wenn man seine Gefangenschaft hier auf dem Schiff als feindlichen Akt auslegt? Wenn man euch angreift?«

»Das glaube ich nicht. Cris ist auch nicht angegriffen worden, und bis jetzt haben die Wesen überhaupt einen friedlichen, scheuen Eindruck gemacht.«

»Wie du meinst. Ich werde euch begleiten und ein Lasergewehr für den Notfall mitnehmen.«

Charru widersprach nicht. Zusammen mit Camelo und Gillon kletterte er über die Strickleiter ins Boot. Gerinth kam als letzter, griff schweigend nach einem der Riemen, und die anderen stellten einmal mehr fest, daß es nur wenige gab, die es mit der eisernen Kraft und Zähigkeit des Ältesten aufnehmen konnten.

Leicht und schnell glitt das Boot durch die Dünung.

Den Riffen konnten sie sich nur von der Lagune her nähern, wenn sie nicht Gefahr laufen wollten, von der Brandung gegen die Felsen geschleudert zu werden. Auf dem breiten Strandstreifen erkannten sie das größere Fahrzeug, weit auf den Sand gezogen, damit es nicht abtrieb. Karstein war mit den anderen Nordmännern und Hunon, dem Riesen von den alten Marsstämmen, längst im Inneren der Insel verschwunden. Charru und seine Begleiter lenkten ihr Boot auf die Durchfahrt in der Barre zu, kamen knapp an einer gefährlichen Untiefe vorbei und atmeten auf, als sie das ruhige, in allen Schattierungen von Blau und Türkis schimmernde Wasser der Lagune erreichten.

Auf dieser Seite wirkten die Felsen glatt und sanft. Nur Gischtschleier und kleine Wirbel verrieten, daß jenseits der Barre die Brandung gegen den Stein toste. Langsam folgte das Boot der unregelmäßigen Linie der Riffe. Gillon trieb es jetzt mühelos allein vorwärts. Camelo, Gerinth und Charru konzentrierten sich ganz auf die Beobachtung. Die Sonne stand tief, ließ das Wasser wie Blut aufleuchten und webte ein Netz geheimnisvoller blauer und malvenfarbener Schatten. Nichts rührte sich, nichts war zu hören außer dem ewigen Atem des Meeres. Die Barre beschrieb einen Bogen. Zur offenen See hin ging sie in die steil ansteigenden Felsen einer Landzunge über. Auf der Lagunen-Seite hatte das Boot jetzt fast den Strand erreicht. Charru atmete aus. Er wußte nicht genau, was er erwartet hatte, aber hier gab es nichts zu entdecken.

Oder?

Sein Blick sog sich an einem Einschnitt im Gestein fest, einer Ausbuchtung, in der sich tiefer Schatten ballte. Ein Zweig oder Grasfetzen trieb dort. Und er tanzte nicht auf dem Wasser, fing sich nicht in einem der Wirbel, die der Rückstau vor den Felsen erzeugte, sondern verschwand wie von einer unmerklichen Strömung gezogen.

Minuten später erkannte Charru, daß dort drüben tatsächlich eine Wasserrinne begann, die tief ins Gewirr der Felsen führte.

Zu schmal, um das Boot hindurchzumanövrieren. Und von eigentümlich glatten Wänden eingefaßt, die nicht von Wellen, Sand und Wind geschliffen waren, sondern wie behauen wirkten, mit groben Werkzeugen bearbeitet.

Werkzeug?

Gerinths zusammengezogene Brauen verrieten, daß ihn ein ganz ähnlicher Gedanke bewegte. Camelos Finger tasteten unwillkürlich zu der Grasharfe an seinem Gürtel und erzeugten ein singendes Vibrieren auf den Seiten des kleinen Instruments.

»Eine Passage für Schwimmer?« fragte er gedehnt.

»Wozu?« Charru schüttelte den Kopf. »Sie können Luft atmen und haben Beine.«

»Zur Tarnung vielleicht? Als Zugang zu einem Schlupfwinkel? Wissen wir denn, wer oder was hier sonst noch existiert?«

»Schauen wir nach! Zu Fuß über die Felsen müßte es uns gelingen, den Verlauf der Rinne zu verfolgen.«

Sie machten das Boot mit der Vorleine an einem Steinzacken fest und schwangen sich einer nach dem anderen auf die

Klippen. Mit den geschnürten Ledersandalen fiel es ihnen leicht, im Geröll herumzuturnen. Der Fels speicherte noch die Hitze des Tages, einzelne kristallklare Tümpel wimmelten von Leben. Die geheimnisvolle Wasserrinne zog sich im Bogen auf die Landzunge zu und endete in einem runden, auf allen Seiten von Steilwänden umgebenen Becken.

Als Charru über den flach ansteigenden Grat spähte, sah er gerade noch etwas wie einen hellen Umriß ins Wasser tauchen.

Sekundenlang glaubte er, eine Gestalt zu erkennen, doch er war seiner Sache nicht sicher, da ihm das Kräuselmuster der Wellen die Sicht nahm. Auf jeden Fall jedoch mußte etwas dagewesen sein, das den Tümpel aufgerührt hatte – und das spurlos verschwunden war, als der Wasserspiegel wieder glatt und durchsichtig vor ihnen lag.

»Wo ist es geblieben?« stieß Gillon hervor. »Bei der Flamme, es kann sich doch nicht in Luft aufgelöst haben.«

»Und in Wasser auch nicht«, setzte Camelo hinzu. »Eine unterseeische Höhle vielleicht?«

Charru nickte. Es war die einzige halbwegs vernünftige Erklärung. Spannung und erwachende Faszination ließen seine saphirblauen Augen funkeln.

»Wir können tauchen. Wenigstens versuchsweise. Wenn dies hier wirklich der Zugang zu einem Schlupfwinkel ist, wissen wir zumindest, daß wir es mit intelligenten Wesen zu tun haben.«

»Und wenn ihr einer ganzen Horde von ihnen in die Hände fallt?« wandte Gerinth ein.

Camelo lächelte. »Wir sind nur zu zweit, und sie werden die Ähnlichkeit zwischen sich selbst und uns erkennen. Bisher ist es uns doch fast immer gelungen, uns mit den Erdenbewohnern zu verständigen – außer dort, wo die Marsianer mit ihren Manipulationen eingegriffen hatten.«

Gerinth wollte noch etwas sagen, dann schüttelte er nur den Kopf.

Er kannte die beiden jungen Männer, die bei allen Gegensätzen so viel gemeinsam hatten. Camelo, der Sänger, der stets den verborgenen Zauber der Dinge sah; Charru, der schon als Kind unter dem Mondstein von dem brennenden Wunsch getrieben wurde, die Geheimnisse seiner Welt zu ergründen. Ihre Gründe mochten verschieden sein, und liefen doch auf das gleiche hinaus. Beide waren wie in einem unsichtbaren Bannkreis von Erregung gefangen, und der weißhaarige Älteste wußte, daß er sie ganz sicher nicht zurückhalten konnte.

*

Die Insel entsprach so vollkommen den Bildern der alten, unzerstörten Erde, daß selbst die rauhen Nordmänner davon angerührt wurden.

Je zwei von ihnen schleppten ein Wasserfaß an hölzernen Tragestangen. Karstein hatte die Führung, Kormak und Hunon sicherten ihren Rücken. Der Hüne mit den mächtigen Schultern und dem zottigen staubroten Haar sah sich mit weiten Augen um. Auf dem Mars hatte er, wie alle Überlebenden der alten Stämme, in einem Reservat vegetiert, von Drogen in eine willenlose Marionette verwandelt. Nach einer endlosen Reihe leerer Jahre hatte sein bewußtes Leben gerade erst begonnen, und er begegnete der neuen, fremden Welt immer noch manchmal mit dem Staunen eines wißbegierigen Kindes.

Im Schatten des Palmengürtels waren die Männer ein Stück dem Strand gefolgt und dann einem Wildpfad, der durch wucherndes Dickicht aufwärts führte. Karstein musterte fleischige Schlingpflanzen, die wippenden, schirmartigen Blätter einer Strauchart, dunkelbraune Ranken, an denen winzige Blüten in allen Regenbogenfarben einen irisierenden Schleier bildeten. Nichts rührte sich ringsum. Der Trampelpfad bewies, daß es auf der Insel Tiere einer gewissen Größe geben mußte, aber die Männer bekamen nichts zu Gesicht außer einem blauen Vogel, der sich aus dem Gebüsch löste und mit einem eigentümlichen hohen Pfeifton über ihre Köpfe hinwegstrich.

Etwa eine Viertelstunde später hörten sie das Plätschern von Wasser, nach dessen Geräusch sie sich richteten.

Rechts von ihnen öffnete sich ein Geländeeinschnitt, der sanft aufwärts führte und als eine Art Paß zwischen zwei Hügeln weiterlief. Die Quelle entsprang etwa auf halber Höhe eines treppenförmig ansteigenden Felsens und ergoß sich in sprudelnden Kaskaden abwärts. Nichts einfacher, als die Fässer darunterzustellen und vollaufen zu lassen, registrierte Karstein zufrieden. Ein kleiner Ausgleich für das Wissen, daß ihre Mühe umsonst gewesen sein würde, falls Laras Untersuchungen ergaben, daß das Wasser ungenießbar sei.

Trotzdem war es besser gewesen, die Venusierin nicht mit an Land zu nehmen, fand der Nordmann.

Hakon und Thorger wuchteten das erste Wasserfaß zum Fuß der Felsentreppe. Hardan kletterte unterdessen ein Stück höher, um über den Paß einen Blick auf die andere Seite der Insel zu werfen. Die anderen achteten nicht auf ihn – bis er plötzlich einen scharfen, halb unterdrückten Laut ausstieß.

Die Andeutung des Falkenschreis, des alten Signals der Tiefland-Stämme!

Die Nordmänner hoben die Köpfe, Hunon zuckte leicht zusammen. Karstein und Kormak waren die ersten, die neben Hardan auf der Paßhöhe erschienen. Beide starrten in die Richtung, in die der andere wies, und was sie sahen, ließ sekundenlang ihren Atem stocken.

Eine tief eingeschnittene Bucht auf der anderen Seite der Insel.

Blaues Wasser, weißer Strand, eine Terrasse aus roten Felsen, über die das Sonnenlicht, durch die Federwipfel der Palmen gefiltert, in grüngoldenen Flecken tanzte. Einzelne rundgewaschene Klippen bildeten eine windgeschützte Mulde, und dort hatten sich mindestens ein Dutzend Gestalten versammelt.

»Frauen!« sagte Karstein erschlagen. »Bei der Flamme, das sind Frauen.«

Hardan warf ihm einen Blick zu. »Das sind nicht einfach irgendwelche Frauen«, sagte er.

Karstein verschluckte die Bemerkung, die sich auf die völlige Nacktheit der hell schimmernden Körper bezog.

Er sah, was Hardan meinte. Die Gestalten wirkten mindestens ebenso menschlich wie die Katzenwesen der Ruinenstadt, aber nicht völlig menschlich. Ihre Haut glänzte wie Perlmutt, das lange, dicke Haar hatte das irisierende Grün gewisser Algenarten. Schwimmhäute spannten sich zwischen auffallend langen, dünnen Fingern und Zehen, spannten sich in den Achselhöhlen, bildeten eine Art Kamm längs des Rückgrats, der jetzt schlaff herabhing und dessen stabilisierende Funktion dennoch sofort einleuchtete. Die Köpfe der Wesen waren schmal, seltsam geformt, mit großen, leuchtenden Augen. Karstein überzeugte sich mit einem Blick, daß inzwischen auch die anderen versammelt waren, und schluckte trocken.

»Das müssen sie sein«, sagte er heiser. »Die Wesen, die Cris gesehen hat. Aber *was* sind sie?«

»Wasserfrauen.« Hardan rieb seinen gestutzten blonden Bart. »Meermädchen.«

»Und was tun sie da?«

Der ruhige, besonnene Hakon stellte die Frage. Karstein gestand sich ein, daß er bisher vor allem auf die paradiesische Nacktheit der Wesen geachtet hatte. Jetzt erkannte auch er, womit sie sich beschäftigten: ihre langen, an ausgespannte Fächer gemahnenden Hände waren eifrig dabei, zähe grüne Algenfäden zu Netzen zu flechten.

»Menschen«, sagte Karstein. »Intelligente Menschen, die Werkzeuge benutzen. Vielleicht haben sie auch eine Sprache. Wir sollten versuchen . . .«

Er kam nicht mehr dazu, den Satz zu beenden.

Eins der fremden Wesen hatte müßig den Kopf gewandt. Deutlich war das Erschrecken zu sehen, das die großen Augen verdunkelte. Ein Schrei erklang, ein hohes, melodisches Tremolieren, dann sprangen die seltsamen Geschöpfe fast gleichzeitig auf und jagten mit hüpfenden, plumpen Bewegungen ins Wasser.

Sekunden später kündete nur noch ein Dutzend konzentrischer Wellen von ihrer Anwesenheit.

Die Männer sahen sich an. Hunon blickte mit geweiteten Augen in die Bucht hinunter. Karstein kratzte ausgiebig sein blondes Bartgestrüpp, und Kormak zuckte ratlos die Achseln.

»Besonders angriffslustig sehen sie nicht aus«, sagte er rauh. »Aber ich glaube, es ist trotzdem besser, wenn wir so schnell wie möglich die anderen warnen.«

*

Beim zweiten Tauchversuch entdeckte Camelo den schmalen Felsspalt unterhalb der Wasseroberfläche.

Auf den ersten Blick sah er nur wie eine Gesteinsfalte aus. Erst bei genauem Hinsehen zeigte sich, daß ein überfluteter Gang tief in die Klippen führte. Mit funkelnden Augen sprudelte Camelo seine Informationen hervor, und ehe jemand protestieren konnte, tauchte er schon wieder und verschwand hinter dem vorspringenden Unterwasser-Felsen.

Charru wartete, weil es sinnlos war, zu zweit in die Höhle einzudringen.

Gerinth stand ein Stück über ihm auf einer Gesteinsrampe, das Lasergewehr gegen die Hüfte gedrückt. Charru schwamm im angenehm warmen Wasser und hielt sich an einem Felsenzacken fest. Irgendwo außerhalb seines Blickfeldes sicherte Gillon in die Runde. Eigentlich zwecklos bei dem unübersichtlichen Gelände, das ohnehin keine Möglichkeit bot, die Annäherung eines Gegners rechtzeitig zu bemerken. Was immer es hier zu entdecken gab – Charru hätte geschworen, daß sie es unter Wasser finden würden.

Er atmete auf, als die Gestalt seines Blutsbruders wieder durch den kristallklaren Tümpel schoß.

Keuchend wischte sich Camelo das klatschnasse Haar aus der Stirn. Er brauchte ein paar Sekunden, um zu Atem zu kommen.

»Tatsächlich eine Höhle«, berichtete er. »Oder besser ein überfluteter Gang. Irgendwo muß er wieder an die Oberfläche stoßen. Ich konnte Licht sehen.«

»Weit entfernt?«

»Nicht besonders. Beim zweiten Versuch . . .«

»Den zweiten Versuch mache ich. Du ruhst dich aus und schwimmst mir nach, wenn du den Eindruck hast, daß ich es geschafft haben könnte, klar?«

»Aye.«

Camelo lächelte atemlos. Charru pumpte seine Lungen voll Luft, stieß sich mit den Füßen von den Felsen ab und schnellte seinen Körper pfeilgerade in die Tiefe. Es war einfach, den Höhleneingang zu finden. Ein schmaler Spalt, der sich nach wenigen Metern zu verbreitern schien. Genau erkennen ließ es sich nicht, da es zusehends dunkler wurde. Zwei-, dreimal schrammten Charrus Hände schmerzhaft über das rauhe Gestein. Sekundenlang umhüllte ihn völlige Finsternis, und dann, als ihm bereits die Luft knapp wurde, entstand vor ihm ein mattes Gleißen im Wasser.

Ein paar Herzschläge später hatte er das Gefühl, im Innern eines gigantischen Rauchtopas zu schwimmen.

Die Struktur der Felswände trat wieder hervor. Charrus Lungen stachen, die Atemnot legte einen flimmernden Schleier vor seine Augen. Aber er sah noch, daß der Gang eine Biegung machte – und daß das Wasser dahinter grünlich schimmerte.

Als er weiterschwamm, war er sich klar darüber, daß er den Punkt hinter sich ließ, von dem aus er den Rückweg noch schaffen würde. Wenn er sich irrte, wenn das gläserne grüne Funkeln nicht von einfallenden Sonnenstrahlen erzeugt wurde . . .

Nein, es war kein Irrtum.

Der Gang erweiterte sich zu einer Höhle voll verschwimmender Lichtstrahlen. Mit ein paar kräftigen Schwimmstößen strebte Charru nach oben, durchstieß den Wasserspiegel mit dem Kopf und sog gierig die kühle, frische Luft ein.

Der flimmernde Schleier vor seinen Augen lichtete sich nur allmählich. Schon vorher hatten ihm seine geschärften Sinne verraten, daß er allein war. Allein in einem großen, hallenden Raum – einer Grotte, wie ihm wenig später klar wurde. Grünes Wasser füllte sie aus, breite Felsenrampen verliefen ringsum, und in der gewölbten Decke klafften Risse und Löcher, durch die das Sonnenlicht wie mit gebündelten goldenen Pfeilen drang.

Als ein paar Minuten später Camelo neben ihm auftauchte, hatte Charru bereits die merkwürdigen gewölbten Nischen in den Felswänden entdeckt.

Unregelmäßige, in Höhe und Tiefe unterschiedliche Nischen – und doch folgten alle ungefähr der gleichen Form, als seien natürliche Höhlen für einen bestimmten Zweck verändert und zurechtgehauen worden. Camelos Blick ging in die Runde. Mit langsamen, mechanischen Schwimmzügen hielt er sich über Wasser. Seine Augen wurden eng.

»Wohnhöhlen«, murmelte er in einem Tonfall zwischen Feststellung und Frage.

»Möglich. Wenn ja, müßten wir Hinweise darauf finden. Werkzeuge, zum Beispiel.«

»Aye. Suchen wir.«

Camelo schwamm bereits auf den Rand der umlaufenden Felsenrampe zu. Wasser perlte über seinen Körper, als er sich an der Kante hochzog. Charru mußte grinsen, weil ihm auffiel, daß die einzige Vorsichtsmaßnahme seines Blutsbruders darin bestanden hatte, Gerinth seine kostbare Grasharfe anzuvertrauen.

Schwerter und Jagdmesser trugen sie beide noch am Gürtel. Charru fragte sich, ob die fremden Wasserwesen diese Dinge als Waffen erkennen würden. Wahrscheinlich, da sie Werkzeuge kannten und Stein zu bearbeiten verstanden. Selbst die friedlichen goldenen Geschöpfe in den Wäldern Afrikas hatten Waffen benutzt. Und hier gab es immerhin die gefährlichen Raubfische, die Lara Haie nannte.

Camelo war vor einer der gewölbten Nischen stehengeblieben. Charru trat neben ihn und sah sich mit zusammengekniffenen Augen um. Eine Wohnhöhle, kein Zweifel. Grünliche Netze hingen unter der Decke, Fischnetze vermutlich. In den Wänden gab es ein paar Vertiefungen, die an primitive Regale erinnerten. Die Werkzeuge, mit denen der Felsen bearbeitet worden war, bestanden aus einem anderen, härteren Gestein. Faustkeile, einfache messer- oder axtähnliche Gegenstände, dazu farbige Muscheln, die vielleicht als Schmuck dienen mochten. Die Wesen, die hier hausten, hatten das tierische Stadium längst hinter sich gelassen. Sie veränderten ihre Umwelt, gestalteten sie, machten sich zunutze, was die Natur ihnen bot. Nur ob man sich mit ihnen verständigen konnte, mußte sich noch herausstellen.

»Warum ausgerechnet hier?« fragte Camelo gedehnt. »Gegen die Haie bietet die Wasserrinne doch keine Sicherheit, oder?«

Charru zuckte die Achseln. Der gleiche Gedanke war ihm auch schon gekommen. Er fand keine Antwort. Gemeinsam durchsuchten sie auch noch die übrigen Nischen. Aber die unterschieden sich kaum von der ersten, und die Bewohner ließen sich nicht blicken.

»Irgendwo muß es weitergehen«, meinte Charru. »Ich habe eine Gestalt in dem Tümpel verschwinden sehen, wo Gerinth und Gillon warten. Wenn uns nicht ein Abzweig entgangen ist, kann das Wesen nur hierhergeschwommen sein.«

Sie schauten sich in der Grotte um, tauchten ein paarmal, aber sie konnten keinen weiteren Ausgang entdecken.

Schließlich warteten sie eine Weile, um wieder zu Atem zu kommen, pumpten ihre Lungen voll Luft und machten sich auf den Rückweg. Charru schwamm voran. Die Finsternis des überfluteten Gangs nahm ihn auf. Einmal glaubte er, einen

Lichtreflex wahrzunehmen, den er auf dem Hinweg nicht bemerkt hatte. Das Wasser ringsum war dunkel, aber nicht mehr so völlig schwarz, daß er die Felswände nicht hätte wahrnehmen können. Er dachte an das Wesen, das er gesehen hatte. Es mußte tatsächlich noch einen zweiten Ausgang geben, einen weiteren Schlupfwinkel oder . . .

Seine Hände stießen gegen etwas Festes.

Er spürte rauhe Fasern, zuckte instinktiv zurück und konnte nur mit Mühe den erschrockenen Ruf unterdrücken, der ihn seinen letzten Atem gekostet hätte. Ungläubig starrte er auf das stabile Netz, das den Weg versperrte. Camelo glitt neben ihn, das Gesicht ein fahles, verschwommenes Oval im Wasser. Beide griffen zu ihren Schwertern – und erkannten im nächsten Moment, daß es sinnlos war, das Hindernis zu zerhacken.

Da nämlich sahen sie jenseits des Netzes die schwarzen, unheilvollen Schatten der Haie und wußten, daß sie in der Falle saßen.

*

Pfeilschnell glitt das schlanke perlmuttschimmernde Wesen durch das Wasser.

Der Platz, an dem es auftauchte, war ringsum von Klippen geschützt. Im seichten, durchsonnten Wasser tummelten sich kleine Gestalten, von aufmerksamen Augen bewacht. Das Wesen suchte. Es hatte schon lange gesucht, stieß immer wieder einen hellen, vibrierenden Ton aus, lockte und rief vergeblich.

Wasser rann aus langen grünschillernden Haarsträhnen, als sich das Wesen auf die Klippen zog.

Heißer Stein, tiefrot in den schrägen Strahlen der Abendsonne. Mit den schwerfälligen Bewegungen des Wasserbewohners an Land kletterte das Wesen höher. Endlos dehnte sich die See vor den großen, leuchtenden Augen. Die See – und das Schiff, das in der Dünung schaukelte.

Schon einmal waren Schiffe hiergewesen.

Schiffe der Landgeborenen. Mit gewaltigen Netzen, in denen sie die Geschöpfe des Meeres fingen. Das Wesen ahnte, daß es keinen Sinn mehr hatte, zu rufen und zu locken, und Trauer und Zorn traten in die leuchtenden Augen wie eine Flamme.

V.

Einen Augenblick verharrten die beiden Männer wie versteinert.

Charrus Faust umklammerte den Schwertgriff. Er starrte Camelo an, doch in der Dunkelheit war der Ausdruck in den Augen des Freundes nicht zu erkennen. Jenseits des Netzes bewegten sich die schwarzen Leiber der Haie, wühlten das Wasser auf, stießen gierig gegen das Hindernis, das sie von der Beute trennte. Wie viele waren es? Ein halbes Dutzend? Mehr? Zu viele jedenfalls, ihnen zu entkommen und sich den Ausweg freizukämpfen.

Zurück?

Unmöglich, dachte Charru. Bis zu der Grotte würden sie es nie schaffen. Die Erinnerung an den schwachen Lichtreflex durchzuckte ihn, die Gewißheit, daß es einen weiteren Ausgang geben mußte.

Mit zusammengebissenen Zähnen warf er sich im Wasser herum, machte Camelo ein Zeichen und begann, systematisch die rauhe Felswand abzutasten.

Auf seiner Seite tat Camelo das gleiche. Schon nach wenigen Metern herrschte wieder völlige Finsternis. Charrus Lungen schmerzten, das Blut rauschte in seinen Ohren. Er wußte, er würde jeden Moment die Besinnung verlieren. Blutrote Schleier lagen vor seinen Augen. Er sah nichts mehr, hörte nichts mehr außer dem Hämmern hinter seinen Schläfen, spürte nur noch den metallischen Geschmack der Erschöpfung im Mund. Etwas berührte seinen Rücken. Er griff mit der

Linken zu, fühlte Camelos erschlaffenden Körper, und gleichzeitig tastete seine Rechte ins Leere.

Ein Quergang, ebenfalls überflutet!

Mit letzter Kraft packte Charru seinen Blutsbruder am Gürtel, zerrte ihn mit, schwamm verzweifelt weiter oder stieß sich vom Grund ab, wenn er Widerstand spürte. Stieg der Gang wirklich leicht an: Steine schrammten über Charrus Knie. Scharfe Kanten rissen ihm die Haut auf, aber mit dem Schmerz durchzuckte ihn gleichzeitig neue Hoffnung.

Den Lichtschimmer vor sich konnte er nicht mehr wahrnehmen.

Schon halb bewußtlos stieß er hart mit dem Kopf gegen einen Felsen. Im Reflex riß er den Mund auf. Sein ganzer Körper verkrampfte sich in der Erwartung des Unabwendbaren, und er begriff nicht einmal sofort, daß kein Salzwasser, sondern kühle, lebenspendende Luft seine Lungen füllte.

Feuerräder kreisten vor seinen Augen.

Blindlings zerrte er Camelo hoch und hielt den Kopf des Bewußtlosen über Wasser. Nur schattenhaft sah er Felsen und einfallendes Licht, und erst nach ein paar Sekunden erkannte er, daß die Kante, gegen die seine Stirn geprallt war, zu einer breiten, trockenen Gesteinsrampe gehörte.

Später wußte er nicht mehr genau, wie es ihm gelungen war, Camelo dort hinaufzuzerren, ihm das Wasser aus Lungen und Magen zu pressen, ihn so lange zu schütteln, bis er stöhnend um sich zu schlagen begann.

Keuchend und erleichtert ließ sich Charru gegen die Wand zurückfallen und lauschte auf die rasselnden, aber regelmäßigen Atemzüge. Die Umgebung vor seinen Augen flimmerte immer noch. Eine kleine Höhle, ein abzweigender Gang, in dem Wasser schillerte, ein schmaler Schacht, durch den Licht fiel . . .

Charru?«

Stöhnend stützte sich Camelo hoch.

Wasser rann aus seinem Haar über das bleiche Gesicht. In

seinen Augen malte sich Verwirrung, dann das Aufflammen der Erinnerung. Scharf sog er die Luft durch die Zähne.

»Das Netz! Die Haie . . . Verdammt! Deine angeblich so friedlichen Aquarianer wollten uns auf eine ziemlich scheußliche Art umbringen.«

Charru schüttelte den Kopf. Ein paar Wassertropfen sprühten.

»Das glaube ich nicht«, widersprach er. »Sie hätten uns den Haien doch einfach zum Fraß überlassen können, wenn es ihnen darum gegangen wäre, uns zu töten. Nein, ich glaube, sie haben das Netz lediglich angebracht, um ihre Schlupfwinkel vor den Bestien zu schützen.«

»Hmm.« Camelo sah sich um. »Klingt einleuchtend. Und wie geht es jetzt weiter?«

»Geradeaus«, sagte Charru trocken.

Es gab nur die eine Möglichkeit. Das Wasser, durch das sie wateten, reichte ihnen knapp bis zu den Knien, wurde seicht und dann wieder tiefer. Ein Stück mußten sich die beiden Männer durch völlige Finsternis tasten, einmal für ein paar Minuten schwimmen. In einem halb überfluteten Gang, durch den Licht schimmerte, stießen sie auf ein weiteres Netz, das offenbar die Haie am Eindringen hindern sollte. Ein paar Schwertschläge hätten genügt, um den Weg frei zu machen, aber Charru und Camelo verzichteten darauf. Statt dessen schlugen sie einen anderen, schmaleren Gang ein, und schließlich stießen sie auf eine weitere Grotte.

Sonnenlicht fiel durch einen Schacht über ihren Köpfen.

Ein mit dicken Knoten versehenes Seil baumelte herab. Charru zerrte prüfend daran und atmete auf.

»Es trägt unser Gewicht. Fühlst du dich schon wieder kräftig genug?«

Camelo nickte nur.

Charru kletterte als erster, um den Freund notfalls von oben hochziehen zu können, falls ihn doch die Kräfte verließen. Aber Camelo schaffte die Kletterpartie ohne Schwierigkeiten.

Ein wenig atemlos sah er sich auf der winzigen Lichtung im Dickicht um, wo überhängende Zweige das Loch im Boden fast völlig verbargen.

»Sie müssen ungeheuer scheu sein«, sagte er kopfschüttelnd. »Warum nur? Was haben Sie zu fürchten außer den Haien?«

»Menschen vielleicht.« Charru hatte einen kaum sichtbaren Pfad entdeckt und setzte sich in Bewegung. »Für Yatturs Volk waren die Berichte über die Südinseln nur Legenden, aber irgendwann müssen Schiffe hier unten gewesen sein. Schiffe mit einfachen Menschen, die das Unbekannte fürchteten, die in den Aquarianern möglicherweise eine Gefahr sahen und sich entsprechend wehrten.«

»Und jetzt, meinst du, haben die Aquarianer ihre Legenden, die sie dazu bringen, sich so gut wie möglich zu verbergen?«

»Warum nicht? Die Erde ist kein Paradies. In einer feindlichen Umwelt neigen die Menschen dazu, an Traditionen festzuhalten.«

»So wie wir es unter dem Mondstein getan haben«, murmelte Camelo. »Wie die Priester es noch heute tun. Wenn es so ist, wie du meinst, dann glaube ich nicht, daß wir eine Chance haben, uns mit den Wasserwesen zu verständigen.«

Charru antwortete nicht, weil sie im gleichen Augenblick den Rand des Dickichts erreichten.

Vor ihnen fiel der bewachsene Hang steil ab. Daß sie sich auf einem der Hügel befanden, überraschte sie nicht: die Höhlen ließen keine andere Erklärung zu. Wie ein blaugrüner Teppich breitete sich das Meer vor ihnen aus. Linkerhand die Lagune, unergründlich schimmernd. Davor das friedlich dümpelnde Schiff, rechts die felsige Landzunge – und die beiden Männer, deren Haltung wachsende Unruhe verriet.

Von den Aquarianern war nichts zu sehen. Sicher hatten sie eine Menge Schlupfwinkel. Und bei einer realen oder vermeintlichen Gefahr pflegten sie sich vermutlich in ihr eigenes Element zurückzuziehen, das Wasser.

Knapp zehn Minuten später stieß Charru gedämpft den Falkenschrei aus, damit Gerinth und Gillon beim Anblick ihrer vermißten Freunde nicht zu sehr erschraken.

*

Durch einen Wirbel von Dunkelheit und Schmerzen kämpfte sich Ches Bewußtsein zurück an die Oberfläche.

Hände zerrten an seinem Körper, rüttelten ihn, ließen nicht zu, daß er wieder in die gnädige Empfindungslosigkeit der Ohnmacht sank. Die Erinnerung kehrte zurück. Bar Nergal . . . Der verzweifelte und vergebliche Versuch, den Oberpriester zu töten. Fast wäre es ihm gelungen. Und jetzt . . .

Schlagartig wurde sich Che wieder der zerrenden Hände bewußt und riß die Augen auf.

Düstere Mauern. Bunte Gebilde aus dem Schutt der versunkenen Welt, von Fackelschein angestrahlt, das gedämpfte, unruhige Fauchen der Katzenwesen, in dem dumpfe Furcht mitschwang. Che begriff, daß er sich nicht mehr im Unterschlupf der Priester befand, sondern in Charilan-Chis Thronsaal, wo Bar Nergal noch über der Königin auf dem Sitz der Götter residierte.

Mühsam taumelte der Junge hoch.

Ohne die Hände, die ihn stützten, wäre er sofort wieder zusammengebrochen. Bitterkeit überflutete ihn. Er hatte es nicht geschafft, war nicht schnell genug, nicht entschlossen genug gewesen. Und jetzt, das wußte er, würde Bar Nergal ihn töten.

Sein Blick glitt über die schweigende Versammlung.

Zwei der Kriegerinnen hielten ihn fest, hatten ihm zusätzlich die Hände auf den Rücken gebunden. Die übrigen Katzenfrauen standen stumm und angstvoll an den Wänden, die gelben Raubtierlichter erschrocken aufgerissen. Auch Ches Brüder und Schwestern waren da, Chan und Croi und all die anderen. Und seine Mutter! Wie versteinert saß Charilan-Chi

73

auf ihrem Thron, die Lider gesenkt, die Hände ineinander verschlungen. Che suchte ihren Blick – aber sie wich ihm aus, sie wollte ihn nicht ansehen . . .

Und sie wollte ihm nicht helfen. Nicht mehr.

Che schauerte, als er den schwarzen, tiefliegenden Augen des Oberpriesters begegnete. Das ausgemergelte Greisengesicht unter dem kahlen Schädel verbarg nur mühsam den nackten Haß. Bar Nergals rote Robe war an der Schulter zerfetzt. Che fühlte einen Anflug von wildem, unvernünftigem Triumph, als er den weißen Verband schimmern sah.

Und die anderen? Hatte er niemanden mit dem Lasergewehr verletzt, nicht einen? Doch – Shamala trug die Hand in einer Schlinge, und sein Gesicht war schmerzverzerrt. Aber er lebte noch. Sie lebten alle noch. Er, Che, würde als einziger sterben.

Angst schnürte ihm die Kehle zu und ließ ihn schwanken.

Wie aus weiter Ferne hörte er die Stimme des Oberpriester: fanatisch hervorgestoßene Sätze, von denen Che nur Bruchstücke verstand. Frevel . . . Aufruhr . . . Ein Anschlag auf die Götter . . . Bar Nergals Stimme überschlug sich fast, und die Zuhörer zogen erschrocken die Köpfe zwischen die Schultern.

»Du hast recht, Erhabener«, sagte Charilan-Chi mit heller, zitternder Stimme. »Er ist schuldig. Seine Tat war unverzeihlich, aber . . .«

»Er hat Blut vergossen, und Blut muß wieder vergossen werden. Nur Blut kann den Frevel abwaschen. Ein Opfer! Die Götter verlangen ein Opfer, das ihren Zorn besänftigt! Ein Menschenopfer . . .«

Wie ein Hammerschlag fiel das Wort in die Stille und schien endlos nachzuzittern.

Ein Opfer . . . Ein Menschenopfer . . . Che hob die Augen und starrte seine Mutter an, doch in dem schönen, katzenhaften Puppengesicht war nichts zu lesen.

»Ein Opfer«, wiederholte sie.

Leise und ausdruckslos, resignierend – denn für sie gab es keine Auflehnung gegen den Willen der Götter.

Che kämpfte gegen das Gefühl, daß ihn ein glühender Klumpen von innen her verbrenne.

»Er ist kein Gott!« krächzte er. »Sie sind Menschen wie wir! Sie haben kein Recht . . .«

»Bringt den Frevler zum Schweigen!« fuhr Bar Nergal dazwischen.

Che bäumte sich auf, doch er hatte keine Chance.

Die Kriegerinnen gehorchten den Göttern. In deren Namen hatten sie vor langer Zeit die Männer ihres degenerierten Volkes ermordet, aus dem gleichen blinden Gehorsam sich damit abgefunden, nur noch geschlechtslose, unfruchtbare Sklavinnen zu sein. Der Tod Ches, eines gottgewollten Sohnes der Königin, mochte ihnen wie ein Sakrileg erscheinen, aber der Gehorsam war stärker.

Der Junge stöhnte, als Krallen seine Haut aufrissen und klauenartige Hände seinen Mund verschlossen. Brutal wurde er auf die Knie gezwungen. Er sah Bar Nergal die Lippen bewegen, aber die Worte, drangen erst nach einer Weile in sein Bewußtsein.

». . . befehle ich, daß diesem Frevler auf dem Opferstein bei lebendigem Leibe das Herz aus der Brust gerissen wird, um den Zorn der wahren Götter zu besänftigen. Nur ein Opfer kann uns vor Unheil bewahren. Nur ein Opfer wird unsere Stärke zurückbringen und die Zukunft zum Guten wenden. So war es immer, und so soll es sein.«

Stille senkte sich herab.

Eine tiefe, atemlose Stille, die Che erzittern ließ. Blutrote Schleier waberten vor seinen Augen. Die Gestalt des Oberpriesters auf dem erhöhten Göttersitz schien über ihm aufzuragen wie die Statue eines schrecklichen Dämons. Verzweifelt irrte der Blick des Jungen zu dem zweiten, niedrigen Thron, doch im glatten, schönen Gesicht seiner Mutter gab es nichts, das Hilfe versprochen hätte.

Charilan-Chis gelbe Katzenaugen verschleierten sich und gingen durch alles hindurch.

»So soll es sein«, wiederholte sie flüsternd. »Der Wille der Götter wird geschehen.«

*

»Das zweite Boot liegt nicht mehr am Strand«, stellte Gerinth fest. Charru runzelte die Stirn. Karstein und seine Begleiter hatten eigentlich eine längere Expedition vorgehabt, wollten nicht nur nach Wasser suchen, sondern die Insel gründlich erkunden. Wenn sie jetzt schon zum Schiff zurückgerudert waren, konnte das nur heißen, daß sie etwas entdeckt hatten. Aquarianer vermutlich. Sie waren offenbar recht zahlreich, und zumindest einige von ihnen mußten auf die Insel ausgewichen sein, während die fremden Eindringlinge die Schlupfwinkel in der Höhle durchsuchten.

Immer wieder blickten die vier Männer aufmerksam in die Runde, während sie ihr Boot bestiegen, doch die fremden Wesen ließen sich nicht sehen.

»Sie wollen keinen Kontakt«, sagte Camelo langsam. »Sie fürchten uns und zeigen nicht einmal Neugier. Ich glaube, wir sollten sie in Ruhe lassen.«

»Und wenn sie diese ganze Inselwelt bevölkern?« Gillon kniff die grünen Augen zusammen.

»Dann wäre es vielleicht besser, an den Inseln vorbeizusegeln und uns einen anderen Platz zu suchen. Aber ich kann mir nicht vorstellen, daß sie wirklich so weit verbreitet sind. Die Legenden von Yatturs Volk würden sonst bestimmt davon wissen. Wenn ich daran denke, wie genau die Inseln beschrieben worden sind . . .«

Er unterbrach sich, da sie das Schiff erreicht hatten.

Männer und Frauen standen erwartungsvoll am Schanzkleid. Um Karstein und seine Gruppe hatte sich ein Kreis gebildet, der erregt debattierte und erst verstummte, als sich Charru an Deck schwang. Der Nordmann begann seinen Bericht noch einmal von vorn.

»Mindestens ein Dutzend Frauen«, schloß er. »Sie liefen sofort davon, als sie uns sahen. Und ihr?«

»Wir haben einen Schlupfwinkel der Wesen entdeckt, aber niemanden zu Gesicht bekommen.« Charru zögerte und zog die Unterlippe zwischen die Zähne. »Sie sind so auffallend scheu, daß ich eine Verständigung für ziemlich ausgeschlossen halte. Ich glaube, Camelo hat recht. Wir sollten sie in Ruhe lassen.«

»Und das Kind, das wir gefangen haben?«

Karsteins Blick wanderte zum Bug, wo die Gestalten von Lara, Katalin und Dayel zu erkennen waren. Die Nordmänner hatten sich das kleine Wesen nur aus der Ferne angeschaut, da es jedesmal erbärmlich zu schreien begann, wenn sich fremde Gesichter näherten. Nur zu Lara, Katalin und Ayel hatte es offenbar Vertrauen gefaßt. Charru bedeutete den anderen, zurückzubleiben, ging langsam hinüber und bemühte sich, dem Findling beruhigend zuzulächeln.

Sofort drängte sich der kleine Aquarianer dichter an Katalin. Eine Kette hoher, angstvoller Laute drang aus dem spaltartigen Mund. Lara wandte sich um, die Augen vor Erregung leuchtend.

»Es ist phantastisch«, sagte sie. »Unsere gesamte Wissenschaft hat sich nicht träumen lassen, daß solche Wesen auf der Erde existieren. Fast perfekte Anpassung an die Lebensbedingungen unter Wasser, wenn man davon absieht, daß sie keine Kiemen haben, sondern durch Lungen atmen. Ab und zu müssen sie auftauchen, um Luft zu holen. Wie lange sie unter Wasser bleiben können, weiß ich noch nicht. Ich nehme an, daß sie zumindest zum Schlafen an Land gehen.«

»Das tun sie.« Charrus Blick hing an dem kleinen Geschöpf, das sich inzwischen wieder beruhigt hatte. »Camelo und ich haben einen ihrer Schlupfwinkel entdeckt, eine Höhle, die nur durch einen überfluteten Gang zugänglich ist.«

Charru berichtete knapp. Lara hörte gebannt zu.

»Phantastisch«, murmelte sie. »Ich begreife einfach nicht,

daß keins dieser Wesen je von einem marsianischen Forschungsschiff entdeckt worden ist.«

»Sie verstecken sich, halten sich ganz bewußt verborgen. Wahrscheinlich haben sie schlechte Erfahrungen mit den anderen irdischen Rassen gemacht.« Charru warf einen Blick zu der Insel hinüber, die still in der Abendsonne lag. »Habt ihr irgendeine Möglichkeit der Verständigung gefunden?«

»Noch nicht. Ich glaube, es handelt sich um ein sehr junges Kind. Oder es ist einfach noch zu verängstigt, um zu reagieren. Wir müssen versuchen, irgendeine Zeichensprache zu entwickeln oder . . .«

»Wir können es nicht hier an Bord behalten, Lara. Camelo und ich haben auf der Insel genug Beweise dafür gefunden, daß es sich bei den Aquarianern tatsächlich um eine intelligente Rasse handelt. Sie wollen keinen Kontakt, sie weichen uns aus, und das müssen wir wohl oder übel akzeptieren. Wenn wir das Kind nicht zurück ins Wasser lassen, werden sie uns als Feinde betrachten.«

»Du hältst sie für gefährlich?«

»Das nicht. Aber darum geht es auch gar nicht. Siehst du nicht ein, daß wir nicht einfach ein fremdes Wesen festhalten dürfen, mit dem wir uns nicht einmal verständigen können?«

Lara biß sich auf die Lippen. Von ihrem Gesicht war deutlich abzulesen, wie schwer es ihr fiel, ihren Forschungsdrang zu zügeln. »Es ist eine einmalige Gelegenheit, Charru. Vielleicht die einzige Möglichkeit, je mehr über diese Wesen zu erfahren. Laß mich wenigstens noch ein paar medizinische Tests machen und . . .«

»Tests?« fuhr Katalin auf.

»Sie sind völlig harmlos, schaden ihm bestimmt nicht . . .«

»Die übrigen Aquarianer dürften anders darüber denken«, sagte Charru ruhig. »Sie sind Menschen, Lara. Und dies hier ist ein Kind. Wir haben nicht das leiseste Recht, Versuche mit ihm anzustellen.«

»Aber ich will doch nur . . .«

»Er hat recht«, sagte Katalin. »Wir hätten gar nicht erst damit anfangen dürfen. Wir werden es wieder im Wasser aussetzen.«

Lara schüttelte den Kopf. »Habt ihr nicht selbst gesagt, daß wir mehr über diese Wesen herausfinden müssen? Ein so phantastisches wissenschaftliches Phänomen!«

»Wissenschaftliches Phänomen!« wiederholte Katalin, und jetzt klang Bitterkeit in ihrer Stimme mit. »Die gleiche Rolle, die wir unter dem Mondstein für euch spielen mußten. Hast du immer noch nicht begriffen, daß man nicht mit Menschen experimentiert? Du bist und bleibst Marsianerin!«

Laras Augen funkelten zornig.

Katalin hatte sich aufgerichtet, das kleine perlmuttfarbene Geschöpf in den Armen. Sein Blick glitt halb angstvoll, halb neugierig hin und her, nicht anders als der eines menschlichen Kindes, wenn es unverständliche Spannungen zwischen Erwachsenen erspürt. Lara setzte zu einer heftigen Entgegnung an, aber sie kam nicht mehr dazu.

Ganz plötzlich wurde das Aquarianer-Kind unruhig, warf den Kopf zurück und stieß einen hohen, langgezogenen Schrei aus.

Gleichzeitig rief Yattur vom Achterschiff aus eine Warnung. Erregt zeigte er zur Küste der Insel hinüber. Charru wandte den Kopf und hielt unwillkürlich den Atem an.

Von einer Sekunde zur anderen war es zwischen Riffen und Felsen lebendig geworden.

Nackte, perlmuttschimmernde Gestalten tauchten auf, geschmeidig trotz des watschelnden Gangs, den die Schwimm-häute ihnen verliehen. Sie turnten über die Klippen, tappten über den Strandstreifen, wateten durch seichtes Wasser. Mindestens zwei Dutzend Aquarianer hatten ihre Verstecke verlassen und sammelten sich am Rand der Lagune. Von Minute zu Minute wurden es mehr, und die Art, wie sie mit ihren runden, leuchtenden Augen zu dem Schiff herüberstarrten, ließ kaum einen Zweifel an ihrer Absicht.

Sie waren entschlossen, die Fremden anzugreifen, die einen der Ihren gefangengenommen hatten.

*

Marius Carrissers Blick wanderte über die schweigenden Männer und sog sich dann wieder an Mark Nord fest.

»Sie sind verrückt«, sagte der Uranier. »Sie müssen den Verstand verloren haben. Ist ihnen nicht klar, daß sie ihre einzige Chance in den Wind schlagen, am Leben zu bleiben?«

Nord lächelte schmal. »Abwarten. Wir werden uns zu wehren wissen.«

»Wehren? Mit den paar Lasergewehren, die Sie zur Verfügung haben? Nicht einmal Ihr Schiff ist bewaffnet. Die marsianische Flotte wird Sie hinwegfegen. Jessardin kostet es ein Fingerschnippen, alles Leben hier auszulöschen.«

»Wenn das so einfach wäre, hätte er es bereits getan«, sagte der Venusier trocken. »Wir haben entschieden, Carrisser. Der Merkur bleibt frei.«

Carrisser lachte harte auf.

Zorn regte sich in ihm. Ein wilder Impuls von Haß gegen den Mann, der für das Fiasko auf Luna verantwortlich war und dessen Starrköpfigkeit ihn, Carrisser, daran hinderte, den Auftrag des Präsidenten erfolgreich zu Ende zu führen. Sekundenlang war er versucht, dem nächstbesten Siedler die Laserwaffe aus den Händen zu reißen und den Rebellenführer niederzuschießen. Sie würden ihn umbringen. Ihn und die beiden Offiziere an seiner Seite. Aber für den Präsidenten wäre das Problem Merkur damit gelöst. Er würde einen Schuldigen haben und . . .

Und Conal Nord würde die Wahrheit niemals glauben, machte sich Carrisser klar.

Er biß die Zähne zusammen. Schweiß lief über seinen Nakken. Die Hitze war immer noch fast unerträglich, obwohl sich die Sonne bereits senkte. Er fragte sich, wie die Rebellen das Tag für Tag aushielten.

»Sie werden sehen, wie lange der Merkur frei bleibt«, sagte er kalt. »Zeit zum Überlegen hatten Sie genug. Es ist Ihr Leben, das Sie wegwerfen.«

Mark zuckte nur die Achseln.

Carrisser zögerte noch einen Moment, dann wandte er sich abrupt um. Die beiden Offiziere folgten ihm schweigend. Ihre Gesichter spiegelten immer noch Verständnislosigkeit – nicht so sehr über die Weigerung der Siedler, den Vorschlag des Präsidenten zu akzeptieren, sondern über diesen Vorschlag an sich. Die Rebellen waren verurteilte Kriminelle. Daß ihnen die Begnadigung angeboten wurde, die Möglichkeit, sich als Kolonie offiziell unter den Schutz der Vereinigten Planeten zu stellen, rüttelte am Weltbild der beiden Uniformierten. Carrisser machte sich klar, daß er keinen Kontakt zwischen ihnen und den übrigen Besatzungsmitgliedern mehr zulassen durfte. Eine Amnesie-Behandlung würde das Problem dann lösen.

Und das Problem Mark Nord?

Während er die Schleuse passierte und die beiden Offiziere in ihre Kabinen schickte, zu einer eigentlich überflüssigen Tiefschlaf-Behandlung zwecks Erholung, überlegte der Uranier, was Jessardin tun würde. Den Merkur angreifen auf die Gefahr hin, sich mit Conal Nord zu überwerfen? Die Rebellen in Ruhe lassen? Im Grunde konnte er sich nichts von beidem leisten. Vielleicht würde er abwarten, den Einfluß Conal Nords auf den venusischen Rat einzudämmen versuchen . . .

Carrisser hörte auf zu grübeln.

Er hatte keinen Erfolg gehabt, aber er brauchte sich auch nichts vorzuwerfen. Mit einem tiefen Atemzug straffte er sich und betrat einen Transportschacht, um in die Kanzel hinaufzufahren und dem Piloten Anweisungen für den Start zu geben.

Ein paar Minuten später zündeten die Triebwerke. Die »Deimos I« schraubte sich, einen Feuerschweif hinter sich herziehend, in den Himmel, und dort, wo sie gestartet war, wirbelte eine Wolke aus rötlichem Staub auf.

Die Siedler starrten schweigend dem entschwindenden Schiff nach.

Mark las in ihren Gesichtern, was sie bewegte. Jeder fragte sich in diesen Sekunden, ob das nächste, was sie am Himmel über dem Merkur auftauchen sahen, die marsianische Kriegsflotte sein würde. Ken Jarel fuhr sich mit allen fünf Fingern durch das dunkle Haar. Mikael nagte an der Unterlippe.

»Wir sollten uns vorbereiten«, sagte er rauh. »Ich glaube nicht, daß Jessardin lange stillhalten wird.«

Mark zuckte die Achseln. »Auf jeden Fall bleiben uns ein paar Tage. Zeit genug, um uns in den Höhlen einzurichten und das Schiff an einen anderen Platz zu bringen. Wenn sie kommen, spricht zunächst einmal die Wahrscheinlichkeit dafür, daß sie uns überhaupt nicht finden. Und falls sie es doch schaffen, müssen sie sich schon etwas einfallen lassen, um uns anzugreifen. Wir können zumindest einen Teil des Höhlensystems mit Energieschirmen gegen Betäubungsstrahlen absichern. Den Teil, der so tief liegt, daß er nicht einmal durch schwere Laserkanonen oder Energie-Bomben zu knacken ist. Um uns etwas anzuhaben, müssen sie höchstpersönlich in die Gänge eindringen. Und dann haben wir die Chance, uns mit gleichen Waffen zu wehren.«

Schweigen antwortete ihm. Sie wußten, daß es auch noch andere Möglichkeiten gab. Nukleare, chemische und biologische Waffen. Zwischen ihnen und der Vernichtung stand im Grunde nichts als die schwache Hoffnung, daß jede Aktion ihrer Gegner nur auf die Gefangennahme der Opfer zielte, weil Simon Jessardin es nicht wagen würde, sie alle umzubringen.

»Glaubst du wirklich, daß sich dein Bruder auf unsere Seite schlägt, wenn es hart auf hart geht?« fragte Ken Jarel gepreßt.

Mark biß sich auf die Lippen. Er antwortete nicht. Es gab keine Antwort. Aber nach zwanzig Jahren in den Katakomben von Luna genügte es ihnen, daß sie wieder hoffen konnten.

VI.

Minutenlang unterbrach nur das stete Brausen der Brandung die Stille.

Die sinkende Sonne färbte das Wasser rot und tauchte die Gruppe der Aquarianer in einen eigentümlich irisierenden Glanz. Schweigend, fast reglos starrten sie zu dem Schiff hinüber. Das kleine Wesen in Katalins Armen zappelte. Charru nickte der jungen Frau zu.

»Laß es wieder ins Wasser«, sagte er knapp.

»Einfach so? Und wenn diese – diese Haie kommen?«

Charru runzelte die Stirn, weil er an diesen Punkt nicht gedacht hatte. »Du hast recht. Yattur – glaubst du, daß wir etwas näher an den Strand segeln können, ohne auf Grund zu laufen?«

Der junge Fischer nickte nur.

Karstein und Kormak standen bereits an der einfachen Winde, mit deren Hilfe der Steinanker hochgeholt wurde. Sie versuchten es – aber die dicke Trosse rührte sich nicht.

»He!« schrie Karstein. »Da stimmt etwas nicht! Das Ding ist nicht von der Stelle zu bewegen!«

Hakon und Leif sprangen hinzu, um ihnen zu helfen. Keuchend stemmten sie sich in die hölzernen Speichen, versuchten es mit vereinten Kräften – vergeblich.

»Aquarianer!« stieß Camelo hervor.

Gleichzeitig erschütterten ein paar dumpfe Schläge die Bordwände, und das Schiff begann bedrohlich zu schwanken. Charru biß die Zähne zusammen. Die Wesen am Strand zeigten sich offenbar nur, um ihre Gegner abzulenken. Die Hauptstreitmacht hatte sich längst unter Wasser genähert, hämmerte gegen den Rumpf und schien entschlossen, das Schiff entweder zu zerschlagen oder zum Kentern zu bringen.

Entschlossen – und möglicherweise auch stark genug.

»Katalin«, sagte Charru gepreßt. »Laß das Kind wieder ins Wasser und . . .«

»Haie!« stieß Lara im gleichen Augenblick hervor.

Tatsächlich schnitten drei, vier von den unheilvollen schwarzen Dreiecksflossen durch die Wellen.

Fast augenblicklich hörte die wilde Schaukelei auf. Helle, geschmeidige Körper schossen nach allen Seiten durch das Wasser, wandten sich in panischer Hast der Insel zu. Karstein stieß einen triumphierenden Schrei aus, weil sich die Ankerwinde wieder bewegte. Charru achtete nicht darauf. Er ahnte, daß ihre Gegner, so schnell sie auch sein mochten, keine Chance hatten, alle zum sicheren Strand zu entkommen.

Und dann?

Die geheimnisvollen Wasserwesen würden den Terranern die Schuld geben, falls jemand zu Schaden kam. Ein Angriff unter Wasser barg die Gefahr, daß das Schiff beschädigt wurde, vielleicht tatsächlich kenterte. Charru grub die Zähne in die Unterlippe und warf entschlossen das Haar zurück.

»Zwei Lasergewehre«, verlangte er. »Camelo, wir nehmen das Boot.«

»Aye!«

Binnen Sekunden hingen die beiden Lasergewehre über ihren Schultern.

Das Boot war immer noch an der Strickleiter befestigt. Die beiden Männer legten hastig ab und trieben die Nußschale mit schnellen Ruderschlägen über das Wasser. Inzwischen hatten sich auch die letzten Angreifer von dem Schiff entfernt. Ein Schwarm heller, kräftiger Gestalten bewegte sich in die Richtung der Insel, und die schwarzen Dreiecksflossen der Haie hielten schräg auf sie zu.

Wie ein dunkler Pfeil fuhr der erste der Raubfische in die Gruppe der Flüchtenden.

Charru konnte nur Schatten erkennen, aber er nahm an, daß die Wesen Waffen besaßen, um sich gegen die Haie zu wehren. Gegen ein paar von ihnen, sicher nicht gegen alle. Mindestens ein halbes Dutzend waren sie inzwischen und schienen immer mehr zu werden, als tauchten sie aus dem Nichts auf.

»Jetzt!« sagte Charru durch die Zähne.

Ein paar Meter vor dem Boot hatten sich die letzten Aquarianer von der Hauptgruppe getrennt und versuchten vergeblich, den Haien auszuweichen. Unaufhaltsam schossen die schwarzen Schatten auf sie zu. Charru und Camelo hatten sich aufgerichtet, suchten ein Ziel, und im nächsten Moment fauchten rotglühende Feuerstrahlen aus ihren Waffen.

Wasser verwandelte sich zischend in Dampf.

Ein schwarzer Leib schnellte hoch, krümmte sich in der Luft, klatschte in die Wellen zurück, die sich rot färbten. Der Blutgeruch lockte die Artgenossen des toten Hais an. In Sekundenschnelle stürzten sie sich auf ihn, und im nächsten Augenblick bildete die See ringsum einen blutigen, kochenden Wirbel.

Zeit für die gefährdeten Aquarianer, den Anschluß an ihre Gruppe wiederzufinden.

Charru schoß noch zweimal und lenkte die Haie, die ihre eigenen Artgenossen zerrissen, von ihren eigentlichen Opfern ab.

Camelo mühte sich inzwischen, das Boot aus der Gefahrenzone zu manövrieren. Die Nordmänner hatten den Anker an Bord geholt. Wenn das Schiff jetzt noch einmal angegriffen wurde, konnte es Segel setzen und davonrauschen – schneller hoffentlich, als die Wasserbewohner zu schwimmen vermochten.

Die ersten von ihnen hatten die Insel erreicht und retteten sich auf den Strand.

Keine Opfer, dachte Charru erleichtert. Nur ein paar von den Haien waren getötet worden. Die überlebenden Bestien umkreisten aufgeregt das Boot, doch sie machten keine Anstalten, das Fahrzeug anzugreifen.

Camelo starrte zur Küste der Insel hinüber.

»Ob sie begriffen haben, daß wir ihnen helfen wollten?« fragte er gedehnt.

Charru zuckte die Achseln.

»Sie werden es spätestens begreifen, wenn wir ihnen das

Kind zurückgeben«, sagte er. »Also komm, beeilen wir uns. Ich möchte nicht länger als nötig hierbleiben.«

*

Endlos und geduldig rieb Che die Stricke an seinen Handgelenken über die Steinkante in seinem Rücken.

Blut lief über seine Finger, aber er spürte den Schmerz kaum. Jeder Herzschlag jagte einen Schauer der Angst durch seinen zerschundenen Körper. Irgendwo waren die Priester dabei, ihr widerliches Ritual vorzubereiten. Ein Ritual, das sich Che nur ungenau vorstellen konnte und das immer wieder von neuem Panik in ihm weckte.

Die Fesseln würden nachgeben, wenn er sich lange genug bemühte.

Und was dann?

Es gab keinen Platz, zu dem er fliehen konnte. In den Ruinen würden ihn die Ratten aufspüren, selbst wenn er sich noch so gut verbarg. Auch in dem zerstörten Dorf der Fischer, das er vielleicht erreichen konnte, war er nicht sicher. Das Meer auf der einen und die Wüste auf der anderen Seite bildeten unüberwindliche Hindernisse, ließen sich allenfalls mit einem Flugzeug bezwingen . . .

Die Flugzeuge!

Che hatte sich geschworen, nie wieder eine der Maschinen zu besteigen, doch jetzt waren sie seine einzige Chance. Er wollte leben. Allein, wenn es sein mußte. An einem Platz, wo ihn die angeblichen Götter mit ihren grausamen, sinnlosen Gesetzen nicht erreichen konnten.

Neue Hoffnung erwachte in ihm.

Heftiger als zuvor rieb er die Fesseln über den rauhen Stein. Draußen mußte es jetzt völlig dunkel sein. Ches scharfe Katzenaugen durchdrangen mühelos die Finsternis des Verlieses, in das man ihn gesperrt hatte. Sein Blick tastete die Balkentür ab, die losen Mauersteine, den Schutt, der sicher nicht schwer beiseite zu räumen war. Unermüdlich bewegte er die gefesselten Hände, und als er den Ruck spürte, mit dem einer der Stricke riß, kam ein triumphierender Laut über seine Lippen.

Sekundenlang blieb er reglos am Boden kauern, saugte mechanisch an seinen aufgeschürften Gelenken und wartete, bis sich sein rasender Herzschlag beruhigte.

Ein paar Minuten brauchte er noch, um auch die Fußfesseln aufzuknüpfen, dann richtete er sich vorsichtig auf. Nichts war zu hören außer dem gelegentlichen Plätschern von Wassertropfen in den feuchten Kellern. Mit zusammengebissenen Zähnen machte sich Che daran, den Schutt in der Nähe der Tür wegzuräumen, lose Steine aus dem Mauerwerk zu brechen, die Ränder der zusammengenagelten Balken abzutasten. Er hatte Glück. Nach einer halben Stunde angestrengter Arbeit konnte er durch einen gut handbreiten Spalt den Riegel sehen, und tatsächlich schaffte er es, ihn millimeterweise zur Seite zu schieben.

Seine Fingernägel bluteten, Schweiß lief in Strömen über seinen Körper, aber die Tür gab nach.

Stinkende Pfützen schillerten draußen auf dem Gang. Niemand hielt Wache, doch das hatte Che ohnehin nicht erwartet. Die Priester glaubten, daß er zu schwach sei, um sich auch nur zu rühren. Und nach den Begriffen seines eigenen Volkes war es unmöglich, die Ruinenstadt zu verlassen. Nicht einmal seine Brüder würden auf den Gedanken kommen, daß er es mit einem der Flugzeuge versuchen könnte.

Einen Augenblick zögerte er, bevor er auf die nächste Treppe zuhuschte.

Haß brannte in ihm. Der Wunsch, seinen Todfeind doch noch zu vernichten. Aber jetzt war die Furcht stärker. Ein zweites Mal würde es bestimmt kein Entkommen für ihn geben. Wenn sie ihn diesmal wieder einfingen, wartete das schreckliche Ritual auf ihn, an das er nicht ohne einen eisigen Schauer denken konnte.

Rasch huschte er die Stufen hinauf und lauschte angespannt, bevor er durch ein klaffendes Loch auf das Trümmerfeld hinausglitt.

Nichts rührte sich in der Nähe. Nur der Wind strich durch die Ruinen. Che wußte, daß Bar Nergal verlangt hatte, einen Opferstein herbeizuschaffen, einen großen schwarzen Stein, wie man ihn bisweilen am Meer fand. Die Katzenfrauen waren auf der Suche danach, Ratten mußten ihn auf einem Karren durch die Trümmerwüste zerren – sicher würde es noch geraume Zeit dauern.

Che schüttelte sich. Geduckt schlich er durch das Gewirr von Ruinen und Mauerresten, und nach wenigen Minuten erreichte er den Rand des Raumhafens.

Still und träge wie schlafende Riesenvögel reihten sich die Flugzeuge auf der Startbahn.

Diesmal stand das Tor des Lagerhauses weit offen, und eine breite Lichtbahn fiel nach draußen. Che biß sich auf die Unterlippe. Er konnte seine Mutter sehen, zwei von seinen Brüdern, die hoch aufgerichtete Gestalt Bar Nergals. Im nächsten Moment machte der Oberpriester eine befehlende Geste, und ein halbes Dutzend fellbedeckter Kriegerinnen entfernte sich eilig von dem Gebäude. Che zog sich wieder ein Stück in den Schatten zurück und lauschte den huschenden Schritten, die sich rasch entfernten.

Wollten sie ihn holen?

Gleichgültig! Wenn er erst einmal in der Maschine saß, würde ihn niemand mehr aufhalten. Auf Zehenspitzen schlich er weiter, schlug einen Bogen und duckte sich zwischen die silbernen Vögel.

Flüchtig dachte er daran, daß die anderen Flugzeuge ihn verfolgen konnten. Würden seine Brüder ihn umbringen, wenn die Priester es befahlen? Ciran bestimmt – er war fast noch ein Kind und berauschte sich an dem Machtgefühl, das ihm die Maschinen gaben. Und Chan? Croi? Sie glaubten fest an Bar Nergals Göttlichkeit. Sein Wort war Gesetz für sie. Und sie würden sich schon deshalb nicht aufzulehnen wagen, weil sie seine Rache fürchteten.

Che fröstelte, als er sich in den weißen Schalensitz der Pilotenkanzel zog und die breiten, elastischen Gurte überstreifte.

Seine Finger glitten über die Kontrollen. Das klare Grün der Instrumentenbeleuchtung flammte auf. Noch einmal wanderte Ches Blick zu dem langgestreckten Gebäude auf der anderen Seite der weiten Betonfläche hinüber, dann atmete er tief durch und schlug mit dem Handballen auf einen Schalter neben dem Steuerelement.

Mit jeder Faser spürte er das Erwachen der Gigantenkräfte, die das Flugzeug antrieben.

Schrill heulten die Triebwerke auf, Che konnte den rotglühenden Widerschein des fauchenden Strahls sehen. Er zählte die Sekunden. Langsam, ganz langsam begann die Maschine zu rollen, und gleichzeitig verdunkelte sich das helle Viereck des Lagerhaus-Tores.

Stolpernd, mit aufgeregt fuchtelnden Armen stürzten die Priester ins Freie.

Che sah ihre verzerrten Gesichter, sah sie mit aufgerissenen Mündern schreien, ohne die Worte zu verstehen. Mit wachsender Geschwindigkeit jagte das Flugzeug über die Betonpiste. Ein gleißender Lichtreflex – Zai-Caroc zerrte das Lasergewehr von der Schulter. Che biß die Zähne zusammen und warf das Haar zurück, sicher, daß ihn nichts und niemand mehr aufhalten konnte.

Ruhig fuhr er das Triebwerk zur vollen Leistung hoch.

Seine Finger zitterten nicht, als er den Steuerknüppel anzog. Die Maschine nahm die Nase hoch, löste sich fauchend und heulend von der Startbahn, und im nächten Moment glitt bereits das endlose Ruinenfeld unter ihm hinweg.

Bar Nergal und seine Anhänger wirkten nur noch wie winzige Spielzeugfigürchen.

*

Camelo kauerte im Bug des Bootes und preßte das Lasergewehr gegen die Hüfte.

Im Westen war die Sonne versunken, aber der Himmel leuchtete tiefrot und färbte das Wasser zu dunklem Purpur. Nur noch mühsam ließen sich die schwarzen Dreiecksflossen der Haie erkennen. Doch sie waren da: unermüdlich, hungrig – eine Horde blutgieriger Wachtposten, die jeden weiteren Angriff der Aquarianer unmöglich machten.

Charru hielt das Boot ein Stück von der Bordwand ab, während Katalin vorsichtig die Strickleiter herunterkletterte. Ihr Gesicht war blaß, die bernsteinfarbenen Augen suchten immer wieder die schwarzen Schatten im Wasser. Auch Charru hätte gern darauf verzichtet auszuprobieren, ob sich die Haie von einem Fahrzeug einschüchtern ließen, das kaum größer war als sie selbst. Aber sie konnten den kleinen Aquarianer nicht einfach ins Wasser werfen, und anfassen ließ er sich von niemand anderem als von Katalin.

»Nicht gerade ein gemütliches Leben in der Nachbarschaft dieser Biester«, murmelte Camelo.

»Wem sagst du das? Paß auf! Rechts von dir!«

Aber der Hai, dessen Rückenflosse durch das Wasser schnitt, schwenkte kurz vor dem Boot ab und tauchte. Charru beeilte sich, holte mit schnellen, kräftigen Bewegungen die Riemen durch. Ab und zu warf er einen Blick über die Schulter. Wie eine schweigende Mauer standen die Aquarianer am Strand, geduckt, fluchtbereit, und der Widerschein des Abendrotes verlieh ihren großen Augen einen düsteren violetten Schimmer.

Minuten später glitt das Boot durch die Passage zwischen den Riffen und überquerte die Lagune.

Sand knirschte unter dem Kiel. Charru war sicher, daß die Haie nicht bis hierher gelangen konnten. Mit einer ruhigen Geste ließ er die Riemen los, hob beide Arme und zeigte seine leeren Handflächen.

Camelo tat das gleiche, nachdem er die Waffe niedergelegt hatte.

Die Aquarianer rührten sich nicht. Im ungewissen Dämmerlicht schienen ihre seltsamen Augen wie violette Lampen zu glühen. Katalin ließ das kleine Wesen los, das in ihren Armen zu zappeln begann. Mit einem hohen pfeifenden Laut platschte es durch das seichte Wasser, warf noch einen Blick zurück und war dann wie ein Blitz im Schatten verschwunden.

Mit der gleichen Lautlosigkeit wandten sich die erwachsenen Aquarianer ab und tauchten zwischen den Klippen unter, als seien sie nur ein Spuk gewesen.

Kein Zeichen, keine Geste – nichts. Der Strand lag leergefegt da, zeigte nur noch die Abdrücke der fächerartigen Füße mit den Schwimmhäuten zwischen den Zehen. Camelo atmete tief durch und bückte sich wieder nach dem Lasergewehr, weil sie immer noch durch das haiverseuchte Gewässer zurückrudern mußten.

»Wenigstens wissen sie jetzt, daß wir keine Feinde sind«, sagte er nachdenklich. »Wenn wir sie auf einer Insel treffen, die groß genug für uns ist, werden sie sich vielleicht an uns gewöhnen.«

»Vielleicht . . .«

Charrus Stimme klang zweifelnd.

Er fragte sich, welche fremdartigen Lebensformen sie hier sonst noch entdecken mochten. Und er dachte wieder an Robin, dem diese Inselwelt unheimlich war, der darin etwas Unsichtbares, Unerklärliches spürte, das sie alle bedrohte.

Aber vorerst hatten sie genug Probleme, auch ohne solche Gedanken laut werden zu lassen.

Energisch konzentrierte sich Charru wieder auf das Boot. Unbehelligt von den Haien erreichten sie ihr Schiff, kletterten an Bord und holten auch das kleine Fahrzeug auf die sicheren Decksplanken.

Nur wenige Minuten später entfalteten sich wieder die beiden großen Segel und trieben die hölzerne Arche weiter auf ihrem Weg nach Süden.

*

In das Rauschen des unterirdischen Flusses mischte sich ein dumpfes, gleichmäßiges Stampfen.

Ken Jarel stand auf einer schmalen Gesteinsrampe und hielt eine Handlampe hoch. Fahles Licht fing sich in dem gischtenden Wasser, das über eine Steilwand in eine tiefer gelegene Höhle stürzte und dabei die Turbinen eines primitiven, aber robusten Kraftwerks antrieb. Ken Jarel, hochqualifizierter Techniker, lächelte ein wenig schief.

»Natürlich ist es entsetzlich altertümlich«, entschuldigte er sich. »Ich möchte wetten, daß es so etwas innerhalb der Vereinigten Planeten seit zweitausend Jahren nirgends mehr gegeben hat.«

»Hauptsache, es funktioniert«, sagte Mark Nord trocken. »Damit haben wir im tiefsten Teil des Höhlensystems eine unabhängige Stromversorgung, die so leicht nicht ausfallen wird.«

»Nicht, solange die Landschaft nicht derart verwüstet wird, daß der Fluß einen anderen Weg nimmt«, schränkte Jarel ein.

»Glaube ich nicht. Er entspringt in den Luna-Bergen und verschwindet dann scheinbar in der Wüste. Und die Gegend wimmelt dermaßen von Drachenkamm-Echsen, daß niemand auch nur auf die Idee kommen wird, uns dort zu vermuten.«

Die beiden Männer hatten sich abgewandt und marschierten durch einen schmalen Verbindungsgang zu einer Grotte, in die das Rauschen des unterirdischen Flusses nur noch gedämpft drang.

Mikael, Martell und ein paar andere waren dabei, eine Beleuchtungsanlage zu installieren. Dane Farr hockte auf einer Kiste und entwarf mit dem Handschreiber Skizzen auf Folienblättern. Seine Aufgabe als Militärexperte war es, im Notfall die Verteidigung ihres Unterschlupfs zu organisieren. Großartige Möglichkeiten hatten sie nicht gerade. Aber mit geschickt angebrachten Sprengladungen, die reichlich zur Verfügung standen, konnten sie einem eventuellen Angreifer immer noch einige Überraschungen bereiten.

»Hier, hier und hier!« Farrs Finger tippte auf bestimmte Punkte der Skizze. »Die einzigen Stellen, wo jemand eindringen kann. Wenn wir die Sprengungen auslösen, sind sie abgeschnitten, und wir können sie zwingen, sich zu ergeben, falls sie nicht dort vermodern wollen.«

»Und falls sie keine schweren Waffen haben, um sich den Ausgang freizuschießen«, sagte Nord.

»Falls! Falls! Ich hätte auch lieber eine Raumflotte, aber ich kann sie nicht zaubern. Wir müssen uns mit dem behelfen, was wir . . .«

»Mark! Dane!« rief im gleichen Moment eine erregte Stimme vom Eingang der Grotte her.

Die beiden Männer fuhren zusammen. Mark erkannte die schlanke Gestalt von Jay Merritt. Der Junge war gerade fünfundzwanzig und seinerzeit für drei Jahre nach Luna deportiert worden, weil er sich beharrlich weigerte, in der Organbank zu arbeiten, und ebenso beharrlich die psychiatrische Behandlung sabotierte. Die Deportation hatte ihn nicht bekehrt, sondern den Rebellen in die Arme getrieben. Er war als einer der wenigen Nicht-Lebenslänglichen mit zum Merkur gekommen, obwohl seine Strafe nur noch wenige Monate gedauert hätte.

»Raul hat ein anfliegendes Objekt auf dem Schirm«, meldete er. »Falls das Ding nicht in die Sonne fliegen will, müßte es in etwa zwanzig Minuten in einen Orbit einschwenken.«

»Einzelheiten?«

»Noch nichts in der Ortung. Aber unser glorreicher Präsident dürfte wohl kaum einen heroischen Einzelkämpfer geschickt haben, oder?«

»Wie denn?« fragte Mark trocken. »Carrissers Funkmeldung kann erst ein paar Stunden alt sein.«

»Hmm. Und wer ist es dann, immer vorausgesetzt, daß wir nicht zum kosmischen Ausflugsziel avanciert sind?«

Mark schlug dem Jungen grinsend auf die Schulter. Nach den Maßstäben der allgemeinen psychologischen Lehrmeinung hatte Jay Merritt zweifellos einen geistigen Knacks. Damals in der irdischen Vergangenheit dagegen hatten es die Psychologen, wie Mark wußte, als vollkommen normal betrachtet, daß sich Menschen in Jays Alter rebellisch gebärdeten. Er war ein Anachronismus, einer jener wenigen Individualisten, die in der Gesellschaft der Vereinigten Planeten im allgemeinen schon als Kinder entweder »geheilt« oder eliminiert wurden. Und hier auf dem Merkur war er mit seiner Gelassenheit, seinem kaltschnäuzigen Witz und unheilbarem Optimismus ein wahrer Segen.

Gemeinsam mit Mark und Dane marschierte er durch den endlosen Gang, der aus der Tiefe des Berges an die Oberfläche führte.

In dem Tal, in dem die Häuser von Merkuria im Sternenlicht schimmerten, wartete das Beiboot. Das Schiff hatten sie längst in einen der unzugänglichen Canyons gebracht, in denen normalerweise nur die riesigen Drachenkamm-Echsen hausten. Schmerzliche Erfahrungen mit den Lasergewehren hatten die Bestien gelehrt, Abstand von den Fahrzeugen der Menschen zu halten. Aber auf ahnungslose Marsianer, die das Gebiet überflogen, würden die Tiere zweifellos abschreckend genug wirken.

In der Pilotenkanzel des Schiffs beobachtete Raul Madsen die Ortungsschirme.

Die »Freier Merkur« war ein moderner Kurier-Raumer, gegenüber der Technik der alten »Terra I« um zweitausend Jahre fortgeschritten. Entsprechend präzise funktionierte die Tiefen-Ortung. Das beobachtete Objekt war inzwischen tatsächlich in einen stabilen Park-Orbit eingeschwenkt. Paul Madsen blickte auf und furchte die ergrauten Brauen.

»Ein Frachtraumer«, sagte er verblüfft. »Es sieht tatsächlich nach einem unbewaffneten Frachtraumer aus.«

»Blödsinn!« knurrte Mark überzeugt.

»Sieh selbst! Woher er kommt, kann ich dir beim besten Willen nicht sagen. Aber auf jeden Fall steht fest, daß er etwas von uns will.«

Mark nagte an der Unterlippe. Dane Farr starrte auf den Schirm und schüttelte verständnislos den Kopf. Nur Jay Merritt grinste immer noch.

»Die Vereinigten Planeten knüpfen Handelsbeziehungen zum freien Merkur an«, spottete er. »Da, schaut! Jetzt schleusen sie ein Beiboot aus!«

»Ortung?« fragte Mark knapp.

»Mutmaßlicher Landeplatz nahe Merkuria.« Madsens Finger glitten hastig über einige Instrumente, dann sog er scharf die Luft durch die Zähne. »Mark! Das ist ein alter Kugelraumer der ›Indri‹-Klasse!«

»Ein venusisches Schiff?«

Ungläubig starrte Mark auf den Schirm.

Tatsächlich zeichneten sich immer deutlicher die Umrisse eines Kugelraumers ab, der heutzutage verhältnismäßig selten geworden war. Auf den einzelnen Planeten wurde er für Charter-Flüge außerhalb des Liniendienstes benutzt, von Regierung oder Verwaltung, teilweise von den großen Wirtschaftskollektiven . . .

»Ein Trick?« fragte Dane Farr gedehnt.

Mark warf ihm einen Blick zu. »Trick?«

»Na ja. Wenn ich Jessardin wäre, würde ich es ungefähr so anfangen. Ein raffiniertes Täuschungsmanöver zu einem Zeitpunkt, wenn kein Mensch damit rechnet. Ein Beiboot als Aufklärer oder als Köder, und dann der Angriff, sobald sie wissen, wo wir stecken.«

»Sicher«, knurrte Mark. »Nur daß sie auch mit einem Aufklärer nicht so schnell herausfinden werden, wo wir stecken. Und dann – hast du schon mal von einem schwer armierten Kugelraumer gehört?«

Farr schüttelte langsam den Kopf.

Als Militär-Experte wußte er am besten, wie schwierig es war, Waffen nachträglich in ein nicht kriegsmäßig ausgerüstetes Schiff einzubauen und dann auch noch entsprechend zu tarnen. Raul Madsen fuhr sich mit der flachen Hand durch das graue Haar und folgte dem Beiboot mit den Augen.

»Gleich ist es unten«, stellte er fest. »Also was machen wir? Rückzug in die Höhlen?«

Mark zögerte einen Augenblick, dann nickte er.

»Rückzug in die Höhlen«, sagte er hart. »Ein paar von uns werden mit Lasergewehren in der Siedlung warten. Ich glaube zwar nicht, daß das ein Angriff ist, aber wir werden kein Risiko eingehen.

VII.

In der nächtlichen Stille schien das Heulen der Triebwerke das ganze Ruinenfeld zu erschüttern.

Bar Nergal starrte mit hochgerissenem Kopf zum Himmel. Neben ihm fuchtelte Zai-Caroc immer noch sinnlos mit dem Lasergewehr. Das Heulen steigerte sich, wurde zum nerven-zerfetzenden Schrillen und übertönte das fauchende Angstge-schrei der Katzenwesen.

Charilan-Chis gelbe Augen hatten sich geweitet.

»Der Mächtige!« rief sie. »Er ist zurückgekehrt! Nur er kann es sein!«

Bar Nergal hörte nicht zu, schüttelte nur ungeduldig den kahlen Schädel.

Er wußte, daß jetzt, nach der Vernichtung der »Terra«, kein Mächtiger von den Sternen mehr auf der Erde erscheinen würde, weder Carrisser noch sonst jemand. Keuchend, mit geraffter Robe hastete der Oberpriester ein paar Schritte über das Betonfeld. Das Flugzeug war jenseits der düster aufragen-den Ruinentürme verschwunden. Aber es kam zurück, beschrieb einen Bogen, näherte sich von neuem, um über die Trümmerwüste hinweg dem Meer zuzustreben.

Bar Nergal hielt den Atem an und preßte die Zähne so hart aufeinander, daß sie knirschten.

Kreischend bohrte sich das Heulen des Triebwerks in seine

Ohren. Rotglühender Feuerschein blendete seine Augen, erlosch, verwandelte sich in das silberne Gleißen eines Pfeils, der über das Meer davonschoß. Scharf sog der Oberpriester die Luft ein. Zwei, drei Sekunden brauchte er, um endgültig zu begreifen, dann entzündete sich die Wut in seinen Augen wie ein loderndes Feuer.

»Che!« krächzte er.

»Nein!« stöhnte die Königin. »Er war gefesselt, gefangen, er kann nicht . . .«

»Frag deine Kriegerinnen! Rasch!«

Charilan-Chi duckte sich unter der befehlenden Stimme.

Fauchende Laute kamen über ihre Lippen. Ein paar andere Katzenwesen folgten denjenigen, die Che aus seinem Verlies hatten holen sollen. Sie waren schnell zurück, und das Puppengesicht der Königin wurde noch bleicher.

»Er ist entflohen, Herr! Ich schwöre dir, daß es nicht unsere Schuld war! Er hat sich befreit! Nicht mit unserer Hilfe, Erhabener, das schwöre ich . . .«

Sie verstummte, neigte zitternd den Kopf unter der herrischen Handbewegung des Oberpriesters. Bar Nergals Augen sogen sich sekundenlang an den restlichen Flugzeugen fest, dann wanderte sein Blick zu Charilan-Chis Söhnen hinüber.

»Ihr habt ihn befreit?« fragte er scharf.

»Nein, Herr! – Nein! – Gewiß nicht!« redeten sie beschwörend durcheinander.

»Ihr werdet gehorchen?«

»Wir gehorchen, Herr!« beteuerte Ciran mit dem ganzen Fanatismus seiner Jugend.

»Chan? Croi?«

»Wir gehorchen, Erhabener! Wir gehorchen den Göttern!«

Bar Nergals Lippen verzerrten sich zu einem dünnen, triumphierenden Lächeln.

Einen Moment lang schwieg er, starrte die drei jungen Männer nur mit seinen schwarzen, hypnotischen Augen an. Sehr langsam breitete er die Arme aus und holte tief Atem.

»Che hob die Hand gegen mich«, krächzte er. »Wie nennt ihr einen, der die Hand gegen die Götter hebt? Nennt ihr ihn Frevler?«

»Frevler!« flüsterte Ciran.

»Frevler!« fielen seine Brüder ein. »Frevler!«

»Nennt ihr ihn Verräter?«

»Verräter! Verräter! Verräter!«

»Und was verdient dieser Verräter? Verdient er den Tod?«

»Tod!« kreischte Ciran mit überschnappender Stimme.

»Tod! Tod!« schrien Chan und Croi.

»Tod!« fauchten die Katzenwesen, obwohl sie das Wort nicht einmal verstanden. »Tod!« flüsterte Charilan-Chi mit glimmenden Augen – und nicht einer von ihnen schien sich noch bewußt zu sein, wer es war, dem sie da den Tod geschworen hatten.

Bar Nergal lächelte.

Auch die Priester hatten geschrien, die Akolythen, die wenigen Tempeltal-Leute. Bar Nergal wußte, wie man eine Menge aufpeitschte, wußte auch, wie man einen Menschen dazu brachte, daß er nicht mehr zurückkonnte.

Ciran!« zischte er. »Chan! Croi!«

»Erhabener?«

»Ihr nehmt die anderen Flugzeuge und folgt dem Verräter! Ihr werdet ihn vernichten! Ich vertraue euch.«

»Ja, Erhabener!« stieß Ciran hervor.

»Wir gehorchen, Erhabener!« flüsterte Chan.

»Und du, Croi?«

»Auch ich gehorche«, brachte er Junge hervor.

»Dann beeilt euch! Folgt dem Frevler und zerstört seine Maschine! Und vergeßt nicht, daß er die Götter verraten hat!«

Eilig setzten sich die drei jungen Männer in Bewegung.

Cirans Augen funkelte erwartungsvoll. In den Blicken von Chan und Croi lag ein seltsam abwesender Ausdruck, als seien sie gebannt von einer Kraft, die außerhalb ihrer selbst lag. Bar Nergal schaute zu und lächelte zufrieden, als sie in die Flugzeuge kletterten.

Die Marsianer hatten gute Vorarbeit geleistet.

Der Oberpriester war sicher, für alle Zeiten willige und gehorsame Sklaven gewonnen zu haben.

*

Die See war ruhig. Mondlicht hüllte das Segelschiff in sein silbernes Gespinst und fing sich im schlohweißen Haar der Ältesten. Gerinth sah überrascht von einem zum anderen.

»Die Zeremonie des Bundes?« fragte er ungläubig. »Jetzt? Hier?«

»Warum nicht?« fragte Charru dagegen.

»Wie ihr meint. Es geht hier genausogut wie anderswo. Nur wird die Betonung mehr auf der Zeremonie als auf dem Feiern liegen. – Ist der Rat versammelt?«

Der alte Rat von Mornag war vollzählig.

Charru griff nach Laras Hand, und sie schaute aufmerksam zu, wie die Männer und Frauen des Tieflands einen Halbkreis um sie bildeten. Hinter ihnen standen Shaara und Erein, Hakon und Mai Orland, Tanit und Yattur. Die Zeremonie hatte nichts Übersinnliches, nichts Göttliches an sich, sondern war im Grunde höchst praktischer Natur. Jeweils einer aus der Sippe der Beteiligten verpflichtete sich, dem jungen Paar zur Seite zu stehen, und spielte die Rolle des Bürgen. Eine Tradition, die sich bewährt hatte und die niemand aufgeben wollte, weil sie zum Geflecht der Sippen- und Gefolgschaftsbindungen gehörte, auf denen die Gemeinschaft ruhte.

Allerdings hatte sie Gerinth nie vorher auf den schwankenden Planken eines Schiffs vollzogen.

Er stand auf den Stufen, die zum Achteraufbau führten. Mit beiden Händen hielt er das rostige Langschwert, das jetzt die verlorene Schwur-Waffe ersetzte. Seine Augen lächelten.

»Ich stehe hier, um Erein von Tareth und Shaara von Skait zusammenzugeben. Zwei Zeugen dieses Bundes mögen vortreten. Wer bürgt für Shara?«

»Ich, Eric von Skait!«

»Wer für Erein?«

»Ich, Gillon von Tareth!«

Die beiden Männer hoben die Hand zum Schwur, der sie verpflichtete, die neugegründete Familie in den Schutz ihrer Sippen aufzunehmen und zu unterstützen. Gerinth ergriff die Hände der jungen Leute, legte sie ineinander und vollführte mit dem alten Schwert die zeremoniellen Gesten über ihren Häuptern. Seine Augen glitten zu dem nächsten Paar, das die Zeremonie wünschte.

»Ich stehe hier, um Mai Orland und Hakon zusammenzugeben. Zwei Zeugen . . . Wer bürgt für Hakon?«

»Ich, Karstein!«

»Wer für Mai?«

»Ich, Karstein!« Die Stimme des Nordmanns klang grimmig. Die Sippe der Orland war ausgerottet worden, Mais Bruder hatten die Priester ermordet.

»Ich stehe hier, um Yattur und Tanit zusammenzugeben«, fuhr Gerinth fort. »Wer bürgt für Tanit?«

»Ich, Kormak«, sagte Tanits Bruder ruhig.

»Wer bürgt für Yattur?«

Charru machte einen Schritt nach vorn.

»Das Haus Mornag«, sagte er. Das war Tradition für alle, die niemand anderen hatten. Und es war keine leere Tradition. Charru wußte, daß er damit die Verpflichtung übernahm. Yattur wie einem Bruder beizustehen – und ihn auch zu rächen wie einen Bruder.

Gerinths Stimme klang fast monoton. »Ich stehe hier, um Lara Nord und Charru von Mornag zusammenzugeben. Wer bürgt für Charru?«

»Ich, Camelo, sein Blutsbruder!« Die Stimme klang hell und energisch.

»Und ich, Gerinth, bürge für Lara Nord.«

Der Älteste lächelte. Erneut hob er das Schwert zu den vorgeschriebenen Zeichen, und damit galt der Bund als vollzogen.

Der Jubel, der sich im nächsten Augenblick erhob, hallte weit über das Wasser.

Yatturs Augen brannten, als Kormak ihm die Hand schüttelte. Er gehörte jetzt endgültig dazu, war in die Gemeinschaft, in das Geflecht der Sippen aufgenommen. Charru wußte, daß der junge Fischer lange brauchen würde, um über den Tod seines Volkes hinwegzukommen, daß auch Tanit ihm nicht helfen konnte, sondern vielleicht sogar den Widerstreit seiner Gefühle vertiefte. Aber in dieser Zeit der Anspannung und Gefahr schien das Leben schneller voranzuschreiten als sonst. Yattur und Tanit gehörten zusammen, und sie hatten ihren Bund besiegelt, genau wie Charru und Lara, obwohl auch das Trauerjahr für Erlend von Mornag noch nicht um war.

Sie feierten unter den Sternen, mit Wasser, über glimmenden Feuerbecken geröstetem Fisch und den traditionellen Balladen. Camelo spielte die Grasharfe, Gesang stieg zum Himmel. Lara hatte den Kopf an Charrus Schulter gelehnt und lauschte. Für eine Weile vergaßen die Menschen alles, was sie bedrängte – doch es dauerte nicht lange, bis sie mit brutaler Deutlichkeit daran erinnert wurden.

In den wilden, leidenschaftlichen Rhythmus des Liedes, das den legendären Schmid von Schun besang, mischte sich jäh ein fremder, vibrierender Klang.

Die Musik der Grasharfe brach mit einem schrillen Ton ab. Camelo ließ das Instrument sinken und starrte nach oben. Eine steile Falte stand auf seiner Stirn. Die anderen folgten seiner Blickrichtung – und sahen ebenfalls, was er entdeckt hatte.

Ein Pfeil unter dem Himmel.

Ein glitzernder silberner Pfeil, der sich im Norden über dem Meer erhoben hatte, in den Himmel stach und mit durchdringendem Fauchen seine Bahn zog. Ein Fauchen, das rasch anschwoll, in den Ohren gellte, sich zum infernalischen Heulen steigerte – und das die Menschen auf dem Schiff nur zu gut kannten.

Ein Flugzeug raste durch die Nacht.

Eins der Flugzeuge, die Bar Nergal in den Gewölben unter dem ehemaligen Raumhafen von New York entdeckt hatte. Die Maschine wuchs, wurde zum tödlichen silbernen Riesenvogel – und für die Terraner gab es keinen Zweifel daran, daß er das Schiff verfolgte.

»Die Priester!« flüsterte Camelo tonlos. »Sie geben nicht auf.«

»Aber sie halten uns für tot!« Katalins Stimme bebte. »Es muß ein Zufall sein, es . . .«

»Sie werden uns entdecken. Sie werden uns nie in Ruhe lassen.«

Camelos Gesicht schimmerte im Mondlicht wie eine Marmormaske.

Charru sprang heftig auf. Seine Fäuste ballten sich so hart, daß die Knöchel weiß und spitz hervortraten. Zorn loderte in seinen Augen. Ein wilder, erstickender Zorn, der ihn mit einer sinnlosen Gebärde das Schwert aus dem Gürtel reißen ließ.

Aber er wußte, daß auch alle ihre anderen Waffen nur Spielzeug waren gegen das, was auf sie zukam.

*

Ein harter Ruck erschütterte das Beiboot.

Die Landestützen knirschten, rings um die gewölbte silberne Scheibe stiegen Staubwolken auf und verhüllten die Landschaft. Auf der Seite des Merkur, die das Schiff zum Einschwenken in den Park-Orbit benutzt hatte, herrschte noch Nacht, und erst allmählich schälten sich die Umrisse der Siedlung aus der Dunkelheit.

Verlassene Häuser. Weißer Einheits-Baustoff, der im Sternenlicht schimmerte. Nichts rührte sich ringsum, und Conal Nord preßte unruhig die Lippen zusammen.

Ein paar Sekunden lang war er fast sicher, daß sich sein Bruder und die übrigen Rebellen nicht auf diesem Planeten aufhielten, sondern zusammen mit den Barbaren auf der Erde umgekommen waren. Zwar hatte die Ortung der »Indri« beim

Anflug ein Schiff erfaßt, doch aus der Entfernung war nicht genau zu erkennen gewesen, ob es sich um die »Deimos« oder ein zurückgelassenes Wrack handelte. Der Gouverneur nickte dem Piloten des Beibootes zu, beugte sich mit beherrschtem Gesicht nach vorn und griff zum Kommunikator.

Der Kommandant der »Indri« meldete sich. Ein hagerer blonder Venusier, dessen Loyalität außer Frage stand.

»Ich werde jetzt das Boot verlassen«, sagte Conal Nord. »Die Siedlung hier unten wirkt wie ausgestorben, aber das kann täuschen. Falls wir angegriffen werden, gebe ich Ihnen die ausdrückliche Anweisung, nicht einzugreifen und vor allem keinen Landeversuch zu unternehmen. Sie warten allenfalls fünf Stunden und starten dann wieder, haben Sie verstanden?«

»Verstanden«, kam es zurück.

Die Stimme des Kommandanten klang betont ausdruckslos. Wenn er fünf Standard-Stunden lang keine Meldung bekam, sah das Reglement vor, daß er die alleinige Entscheidungsgewalt übernahm. Was er dann tat, war seine Sache. Nord ahnte, daß es seinen eigenen Anweisungen möglicherweise widersprechen würde.

Er unterdrückte einen Seufzer, bevor er den Kommunikator ausschaltete und sich dem Beiboot-Piloten zuwandte.

»Sie rühren sich nicht aus der Fähre, solange Sie keine gegenteiligen Anweisungen bekommen«, ordnete er an. »Starten Sie, falls etwas Ungewöhnliches geschieht. Zurückrufen kann ich Sie später immer noch.«

»Verstanden, Gouverneur.«

Auch in diesem Fall hielt es Conal Nord für möglich, daß sich bei einer unerwarteten Gefahr ein »Mißverständnis« herausstellen würde.

Achselzuckend stieß der Gouverneur das Schott auf. Er trug einen leichten Thermo-Schutzanzug, aber die Kälte traf ihn dennoch wie ein Schock. Er wußte, daß hier auf dem Merkur in den Nächten das Wasser zu Eis gefror, das tagsüber mitunter dampfte. Langsam bewegte sich Conal Nord von dem Beiboot weg und ließ den Blick über die Siedlung gleiten, die von ihren Bewohnern »Merkuria« genannt worden war und einmal eine blühende Stadt hatte werden sollen.

Nach wenigen Schritten blieb der Gouverneur stehen.

Die Fotos und Filme von der zerstörten Siedlung hatten sich damals tief in sein Gedächtnis gebrannt. Jetzt sah er sofort, daß ein Teil der Gebäude wiederaufgebaut, einige der technischen Anlagen instand gesetzt worden waren. Sein geschultes Auge erkannte das Wind- und Sonnenkraftwerk, die Feldsteuerungen der Klimaanlagen die Produktionseinheiten, die zur Standard-Ausrüstung jedes Siedlungsprogramms gehörten.

Conal Nord atmete tief auf. Die Rebellen lebten. Sie waren nicht zur Erde geflogen, sondern hierher auf diesen Höllenplaneten, den sie als ihre Heimat betrachteten und von dem sie auch zwanzig Jahre Luna nicht hatten abbringen können. Sie lebten, sie hielten sich verborgen, und sie schienen entschlossener denn je, für ihre Freiheit zu kämpfen.

Genauso entschlossen, wie es die Barbaren aus der Welt unter dem Mondstein gewesen waren.

Damals, als Conal zum erstenmal Charru von Mornag gegenüberstand, hatte er gespürt, wie sehr dieser Mann seinem Bruder glich, wieviel der schwarzhaarige Barbar und der rebellische Venusier gemeinsam hatten, obwohl eine Welt sie trennte. Damals hatte es in der unerschütterlichen Haltung des Generalgouverneurs den ersten Bruch gegeben – jenen Bruch, der ihn jetzt hierhergeführt hatte.

Die Häuser der Siedlung waren verlassen.

Wahrscheinlich hatten sich die Rebellen diesmal besser auf die Verteidigung ihres Planeten eingerichtet. Conal Nord folgte noch ein Stück der Hauptstraße, dann blieb er stehen.

Es war sinnlos, noch weiter herumzulaufen. Die Bewohner mußten die Annäherung des Kugelraumers bemerkt haben. Sie würden sich entweder freiwillig zeigen – oder sie wollten sich nicht zeigen, und dann hatte es wenig Zweck, auf gut Glück nach ihnen zu suchen.

Conal Nord glaubte zu spüren, daß sie sich in der Nähe befanden. Zwei Minuten verstrichen, dann endlich schienen sie überzeugt, daß keine Gefahr drohte.

»Conal?« erklang eine leise Stimme.

Nord biß die Zähne zusammen.

»Mark«, sagte er nur.

Sein Blick bohrte sich in den schwarzen Schatten zwischen zwei Gebäuden, erfaßte die hagere Gestalt, die dort auftauchte. Zwanzig Jahre hatten sie sich nicht gesehen. Zwanzig Jahre, in denen sie mehr getrennt hatte als die Entfernung zwischen Venus und Luna. Jetzt spürten sie beide, daß sie sich durch die Ereignisse der letzten Wochen innerlich so nahegekommen waren wie nie zuvor in ihrem Leben.

»Conal«, wiederholte Mark. »Du bist hier. Nicht im Auftrag des Präsidenten, oder ?«

»Nein, nicht im Auftrag des Präsidenten.«

Der Gouverneur blieb stehen und sah den Männern entgegen, die aus dem Dunkel traten. Er kannte auch die anderen: Ken Jarel, Raul Madsen, Martell, Mikael . . . Kens Bruder, Sean Jarel, war auf Luna gestorben, als er versuchte, mit einem versteckten Funkgerät der Rebellen die »Terra« zu erreichen. Er hatte es geschafft, hatte seinen Freunden damit die Rückkehr zum Merkur ermöglicht. Aber ob er umsonst gestorben war oder nicht, mußte sich erst noch herausstellen.

Das Schweigen dehnte sich.

Conal Nord war sich des Mißtrauens bewußt, das ihm entgegenschlug, der Vorbehalte, auch des verborgenen Hasses. Für die meisten dieser Männer war er ein Vertreter der Obrigkeit, einer derjenigen, denen sie die Deportation nach Luna verdankten. Marks Lippen zuckten. Einen Augenblick zögerte er, dann streckte er schweigend die Rechte aus. Sein Bruder wußte, daß dieser Händedruck mehr war als eine bloße Begrüßung.

»Es tut mir leid«, sagte Mark rauh. »Ich habe gehört, daß Lara tot ist.«

»Gehört?« echote Conal Nord.

»Von Marius Carrisser. Er kam im Auftrag des Präsidenten hierher, um mit uns zu verhandeln. Wußtest du das nicht?«

»Nein. Aber ich wußte, daß Jessardin den Merkur nicht so einfach angreifen würde. Der venusische Rat steht in dieser Sache hinter mir, Mark. Ich habe versucht, Lara zu retten. Und auch die anderen . . .«

»Du konntest nichts tun.«

Nord schwieg, zuckte die Achseln.

Einen Moment lang ging sein Blick durch alles hindurch. Hatte er wirklich nichts tun können? Es war diese Frage, das wußte er, die ihn vor allem zu der Merkur-Expedition veranlaßt hatte. Es war der Wunsch, sich mit eigenen Augen vom Stand der Dinge zu überzeugen, nicht noch einmal mit einer Nachricht konfrontiert zu werden, deren Wahrheitsgehalt er nicht kontrollieren konnte.

»Ihr habt die Siedlung aufgegeben?« fragte er.

Mark nickte. »Vorerst. Wir werden uns wehren, Conal. Diesmal lassen wir uns nicht so einfach zurückschleppen.«

»Und wo lebt ihr?«

Wieder entstand ein langes Schweigen.

Die Blicke der Männer kreuzten sich. Mark schien mit sich zu kämpfen. Der junge Mikael preßte die Lippen zusammen. Schließlich war es Raul Madsen, der die Antwort gab.

»Er wird uns nicht verraten«, sagte er. »Gehen wir in die Höhlen zurück, damit wir in Ruhe reden können.«

*

Auf dem Segelschiff waren die Menschen wie gelähmt vor Schrecken.

Charru umklammerte das Schanzkleid mit den Fäusten. Er spürte, daß sich Laras Fingernägel in seinen Arm bohrten, doch er achtete nicht darauf. Neben ihm hatte Camelo die Hand um den Schwertgriff geschlossen. Genau wie Gerinth und Gillon,

106

Karstein, Kormak und all die anderen starrte er dem Flugzeug entgegen, das von Norden heranjagte, mit wahnsinniger Geschwindigkeit unter dem Himmel dahinraste, genau auf sie zuhielt.

Gleich würde es das Schiff erreichen. Und dann?

Ein Bombenhagel wie damals, als Yatturs Dorf zerstört worden war? Deutlich glaubte Charru wieder, die Toten zu sehen, das Blut, den Feuerschein, die Gesichter, in denen das Grauen wie festgefroren war.

Auch Yattur stand starr, unfähig zu irgendeiner Reaktion. Aber alles, was er hätte tun können, wäre so oder so zu spät gekommen.

Schon war das Flugzeug über ihnen.

Charru verkrampfte sich. Lara stieß einen erstickten Schrei aus, der im Heulen der Triebwerke unterging. Vorbei! Die Maschine zog davon, wurde sichtlich langsamer, schwenkte dann in eine Schleife ein. Vielleicht hatte der Pilot seine Opfer, zu spät entdeckt. Vielleicht begann er jetzt erst, die Waffen zu aktivieren, die er an Bord hatte.

Beim zweitenmal glitt das Flugzeug auffallend langsam auf das Schiff zu.

Yattur schrie Befehle. Die Terraner versuchten, mit einem verzweifelten Segelmanöver auszuweichen, aber sie wußten, daß sie keine wirkliche Chance hatten. Wieder zwei endlose Sekunden, in denen sie auf den Vernichtungsschlag warteten – und wieder geschah nichts.

Langsam, mit dumpf orgelnden Triebwerken begann die Maschine über ihnen zu kreisen.

Kreise, die immer enger wurden. Das Flugzeug schwebte jetzt tief über dem Wasser. Mondlicht drang durch die gläserne Sichtkuppel in die Kanzel. Charru kniff die Augen zusammen und atmete langsam aus.

»Er greift nicht an«, sagte er gedehnt. »Cris – kannst du den Piloten erkennen?«

Der Junge schluckte. Sein Gesicht war bleich.

»Mein Bruder«, sagte er tonlos. »Che.«

»Ob den Priestern das Verschwinden des Segelschiffs aufgefallen ist?« fragte Karstein rauh.

Camelo schüttelte den Kopf. »Das glaube ich nicht. Er benimmt sich merkwürdig. Nicht so, als habe ihn Bar Nergal auf die Jagd nach uns geschickt. Eher als wollte er uns klarmachen, daß er keine feindlichen Absichten hegt.«

»Vielleicht hat er uns zufällig entdeckt.« Charru biß sich auf die Lippen. »Glaubst du, daß er uns verraten wird, Cris?«

»Ich weiß nicht, ich . . .«

Er verstummte abrupt.

Auch die anderen hatten es gehört: ein neues, lauteres Heulen, das die Luft erzittern ließ. Es kam rasch näher, schwoll an, überlagerte das Geräusch der kreisenden Maschine. Charru warf den Kopf hoch, und sein Atem stockte, als er im Geflimmer des Sternenhimmels drei weitere keilförmig gestaffelte Flugzeuge erkannte.

»Ciran!« stieß Cris hervor. »Einer von ihnen muß Ciran sein! Er wird uns bestimmt verraten.«

Oder bombardieren, dachte Charru.

Wenn Bar Nergal wußte, daß seine Gegner noch lebten, wenn er die vier Maschinen auf die Suche geschickt hatte, dann sicher mit dem Befehl, das Schiff zu vernichten. Sie konnten nicht entkommen. Es hatte nicht einmal Sinn, Frauen und Kinder unter Deck zu schicken oder Waffen zu verteilen. Charrus Kiefermuskeln schmerzten vor Anspannung. Aus, schrie es in ihm – doch im nächsten Augenblick erlebte er eine neue Überraschung.

Die Maschine, in der Cris seinen Bruder Che erkannt hatte, wurde steil hochgezogen.

Sie schwenkte ab, ergriff offenbar die Flucht. Und die drei anderen Flugzeuge, ein tödlicher Keil unter dem Himmel, hielten nicht mehr auf die wehrlosen Opfer zu, sondern änderten jäh ihren Kurs, beschrieben einen Bogen und folgten der ersten Maschine.

»Sie sind hinter ihm her«, flüsterte Cris. »Bei den Göttern! Sie jagen gar nicht uns, sondern Che! Aber warum? Warum?«

Auch Charru konnte die Antwort nur erraten.

Gebannt starrte er zu den Flugzeugen hinüber, die sich entfernten. Che konnte nicht rasch genug wieder beschleunigen. Der Himmel mochte wissen, was er sich davon versprochen hatte, sich den Terranern bemerkbar zu machen. Es gab weit und breit keine Insel, keinen Platz zum Landen. Hatte der Junge auf irgendeine Weise aussteigen, sich auffischen lassen wollen? Jetzt war es zu spät. Drei-, viermal beschrieb das flüchtende Flugzeug scharfe Kurven. Einmal drückte Che es so tief hinunter, daß es fast das Wasser zu berühren schien, zog es dann wieder steil hoch – vergeblich.

Am spitzen Bug der vordersten Verfolgermaschine zuckte ein bläulicher Blitz auf.

Nichts außer dem Heulen der Triebwerke war zu hören. Aber Charru sah, wie Ches Maschine plötzllich ins Trudeln geriet, als habe sie der Hieb einer unsichtbaren Riesenfaust getroffen. Wieder der bläuliche Blitz. Auch die beiden anderen Flugzeuge feuerten jetzt. Zwei, drei Sekunden verstrichen – dann erhellte der Widerschein einer gewaltigen Explosion den Himmel.

Ches Maschine verwandelte sich in einen Glutball.

Wie ein Stein stürzte sie ab, klatschte ins hoch aufspritzende Wasser, und im nächsten Augenblick war nur noch eine Wolke von zischendem, waberndem Dampf zu sehen.

Cris' schmales Gesicht war schneeweiß geworden.

»Che!« flüsterte er. »Ihr Bruder! Ihr eigener Bruder! Diese Mörder!«

Aber er wußte genau wie die anderen, daß der wahre Mörder Bar Nergal hieß.

VIII.

Der Monitor zeigte leicht verschwommen Marius Carrissers Gesicht. Die Stimme des Uraniers, der sich Millionen Kilometer entfernt an Bord der »Deimos« befand, drang überraschend klar aus dem Lautsprecher.

»Sie haben abgelehnt, mein Präsident. Sie weigern sich, die Gesetze der Vereinigten Planeten zu akzeptieren und den Merkur der Föderation anzugliedern.«

Simon Jessardins silberne Brauen zogen sich zusammen.

Einen Augenblick starrte er ungläubig auf den Bildschirm. Er hatte nicht mit einer Weigerung gerechnet. Mark Nord und die Siedler mußten wissen, daß sie keine Chance hatten. Und selbst wenn sie die Haltung des Generalgouverneurs der Venus kannten, hätte das eigentlich nichts ändern dürfen. Sie konnten sich nicht darauf verlassen, daß sich der Präsident dem politischen Druck Conal Nords beugen würde. Sie mußten sich darüber klar sein, daß auch von anderer Seite Druck ausgeübt wurde: vom Rat, von der öffentlichen Meinung, von der Wissenschaft, die sich in gründlichen Analysen mit der Gefahr auseinandergesetzt hatte, die von den Barbaren auf der Erde und den Rebellen auf dem Merkur ausging.

»Diese Narren!« sagte Jessardin mit einem Anflug von Müdigkeit. »Konnten Sie herausfinden, wie viele es sind, Carrisser?«

»Etwa dreißig, mein Präsident.«

»Bewaffnung?«

Der Uranier zögerte.

»Das kann ich nicht beurteilen«, meinte er vorsichtig. »Sie haben mir keine Gelegenheit gegeben, mich genauer umzusehen. Aber sie scheinen sich zumindest eine Chance auszurechnen. Wenn sie nicht mehr als ein paar Lasergewehre hätten, wäre ihre Weigerung selbstmörderisch.«

Vielleicht war sie das tatsächlich.

Die Männer hatten sich schon vor zwanzig Jahren nicht von

dem möglichen Todesurteil schrecken lassen. Die Zeit in der Strafkolonie mochte in ihnen allen die Bereitschaft geweckt haben, lieber zu sterben, als auf eine Art zu leben, die sie als Sklaverei empfanden.

»Konnten Sie sonst noch etwas feststellen?« fragte Jessardin beherrscht.

»Die Siedlung ist teilweise wiederaufgebaut. Damals wurde offenbar der größte Teil der Ausrüstung auf dem Merkur zurückgelassen, was den Männern natürlich jetzt zugute kommt. Auf jeden Fall können sie Energie erzeugen, und über Vorräte an Nahrungskonzentrat verfügen sie offenbar auch. Wie es mit Maschinen steht, kann ich nicht genau sagen.«

»Darüber gibt es Listen, die im Computer gespeichert sind. Sonst noch etwas?«

»Nun, soweit ich es beurteilen kann, handelt es sich tatsächlich um einen ausgesprochen lebensfeindlichen Planeten. Die Fauna scheint im wesentlichen aus Echsenarten zu bestehen. Beim Landeanflug zeigten die Ortungsschirme ein paar ausgesprochen riesige Exemplare, die einen gefährlichen Eindruck machten.«

»Drachenkamm-Echsen. Einzelheiten dieser Art sind bekannt. Wie steht es mit der Einigkeit unter den Männern? Halten Sie es für möglich, Mark Nord zu überspielen und mit einem der anderen erfolgreicher zu verhandeln?«

»Das glaube ich nicht.« Carrisser zögerte. »Ich möchte Sie darauf aufmerksam machen, daß es sich ausschließlich um Männer handelt, mein Präsident. Die Zeit wird das Problem von ganz allein lösen.«

Jessardin lächelte dünn. »Danke, Carrisser. Melden Sie sich bei mir, sobald Sie in Kadnos-Port gelandet sind.«

Der Monitor erlosch.

Einen Augenblick blieb der Präsident reglos sitzen, die Fingerspitzen in einer charakteristischen Gebärde zusammengelegt. Er wußte, daß sich Carrisser irrte. Die Männer um Mark Nord würden sich nicht damit zufriedengeben, den Rest ihres

Lebens auf dem Merkur zu verbringen. Sie wollten einen neuen Staat, wollten Familien gründen, wollten eine andere Gesellschaftsform ins Leben rufen. Das hieß wahrscheinlich, daß sie irgendwann mit ihrem Schiff zur Erde fliegen würden, um dort Verbündete zu finden. Wieder Unruhe, wieder eine Gefahrenquelle. Das mindeste, was der Rat verlangen würde, war die Gewähr, daß die Siedler ihren Planeten nicht verlassen konnten. Eine Gewähr, die unter den augenblicklichen Umständen niemand zu geben vermochte.

Jessardin unterdrückte einen Seufzer.

Die Auseinandersetzung war unausweichlich, erkannte er. Sie ließ sich allenfalls aufschieben. Einen Augenblick zögerte er, dann wies er den Verwaltungsdiener im Vorzimmer an, eine Funkverbindung zur Venus herzustellen.

Fünf Minuten später wußte er, daß Conal Nord nicht zu erreichen war.

Das Gesicht des stellvertretenden Gouverneurs drückte Unbehagen aus. Jessardin stellte keine Fragen, um den Mann nicht in die Enge zu treiben. Die Art, wie er einer genaueren Erklärung auswich, sagte ohnehin genug. Der Präsident bat um Nords Rückruf, beendete das Gespräch und lehnte sich in seinem weißen Schalensitz zurück.

Der Generalgouverneur der Venus hielt sich auf dem Merkur auf.

In erster Linie wahrscheinlich, um herauszufinden, ob sein Bruder überhaupt dort war. Auch Carrisser hatte seinerzeit nicht genau sagen können, ob die Barbaren und die Merkur-Siedler gemeinsam zur Erde geflogen waren, und eigentlich hatte nur das Verschwinden des Luna-Schiffs dagegen gesprochen. Und was wollte, was konnte Conal Nord erreichen? Nichts, dachte Jessardin realistisch. Die Siedler würden auf ihn genausowenig hören wie auf Carrisser. Für Mark Nord war sein Bruder der Mann, der ihn und seine Freunde dem Gesetz ausgeliefert hatte, also würden sie einem Hilfsangebot wahrscheinlich nicht trauen. Ganz davon abgesehen, daß der Gouverneur ein solches Angebot gar nicht machen konnte, solange er nicht in allem Ernst entschlossen war, den Bruch zwischen Mars und Venus herbeizuführen.

Aber Simon Jessardin glaubte immer noch nicht daran, daß es jemals tatsächlich so weit kommen würde.

Im Augenblick, entschied er, war Abwarten die beste Taktik.

*

»Was sollen wir tun?« stieß Lara hervor. »Um Himmels willen, Charru, was sollen wir nur tun?«

Charrus Blick folgte den drei Flugzeugen, die das Schiff umkreisten.

Die Entfernung war zu weit für die Lasergewehre. Und die Maschinen konnten jederzeit ihre Bomben aus großer Höhe abwerfen oder die unheimlichen Geschosse, die Ches Flugzeug in einen Feuerball verwandelt hatten, auf die Opfer richten. Die Piloten schienen zu zögern. Aber wie lange noch?

»Wir können überhaupt nichts tun«, sagte Charru hart. »Nur hoffen, daß sie es nicht wagen, etwas ohne Bar Nergals ausdrücklichen Befehl zu unternehmen.«

»Ziemlich schwache Hoffnung«, murmelte Camelo. »Che haben sie keine Chance gelassen.«

»Hinter dem waren sie ja auch her. Ich nehme jedenfalls an, daß es so gewesen ist. Er muß sich mit den Priestern überworfen und dann versucht haben zu fliehen.«

»Und Bar Nergal hat seine eigenen Brüder dazu gebracht, ihn umzubringen«, sagte Camelo bitter.

Charru antwortete nicht.

Neben ihm stand Cris mit geballten Fäusten und zusammengebissenen Zähnen und starrte genau wie die anderen zu den Flugzeugen hinüber. Haß verzerrte sein schmales, bleiches Gesicht. Der Tod seines Bruders hatte ihn getroffen. Und schlimmer noch war die Gefahr, die ihnen allen drohte. Sie hatten gehofft, daß die Priester sie endgültig für tot hielten –

jetzt waren sie entdeckt. Selbst wenn die Flugzeuge nicht angriffen: Bar Nergal würde die Wahrheit erfahren. Und er würde keine Ruhe geben, würde seine Gegner genauso erbarmungslos verfolgen, wie er Che verfolgt hatte.

»Ich glaube, sie verschwinden«, sagte Lara flüsternd.

Tatsächlich schwenkte die vorderste Maschine von dem Kurs ab, auf dem sie bisher das Schiff umkreist hatte. Sie wandte sich nach Norden, wo weit entfernt an der Küste die tote Stadt lag. Die beiden anderen Flugzeuge schlossen auf, und Minuten später waren die drei Metallvögel nur noch silbrige Punkte unter dem Sternenhimmel.

Charru wischte sich ein paar feine Schweißperlen von der Stirn.

Als er sich umwandte, streifte sein Blick die Gesichter der anderen. Blasse, ratlose Gesichter. Gerinths nebelgraue Augen schienen durch alles hindurchzugehen. Die Nordmänner bissen grimmig die Zähne zusammen. Ein paar Kinder drängten sich eingeschüchtert aneinander, und Charru suchte unwillkürlich den kleinen Robin unter ihnen.

Der Blinde stand still da, angespannt, als lausche er immer noch. Dayel hatte beruhigend den Arm um seine Schultern gelegt. Aber diesmal spiegelten Robins Züge keine Furcht, eher ein seltsames Staunen, und Charru sah ihn gebannt an, bis Gerinths Stimme ihn unterbrach.

»Sie werden wiederkommen«, sagte der alte Mann. »Wir müssen versuchen, eine Insel anzulaufen, irgendwo Schutz zu suchen.«

»Und wo?« fragte Charru knapp.

Schweigen antwortete ihm.

Weit und breit spiegelten sich nur die verschwimmenden Flecken des Sternenlichts im Wasser. Die Insel, auf der sie den Aquarianern begegnet waren, lag bereits seit Stunden hinter ihnen, nirgends war auch nur eine Spur von Land zu sehen. Und selbst wenn es ihnen gelang, schnell genug eine andere Insel zu finden, waren sie damit noch nicht in Sicherheit. Es sei denn, sie konnten das Schiff so gut verbergen, daß es aus der Luft nicht mehr zu sehen war.

Charru straffte sich und versuchte, das Gefühl der Hoffnungslosigkeit abzuschütteln.

»Wir haben keine Wahl«, sagte er. »Wir segeln weiter nach Süden und gehen auf der nächsten Insel an Land, die wir finden.«

Die anderen nickten nur.

Schon seit Minuten lag das Schiff beigedreht in der Dünung, weil ohnehin jedes Ausweichmanöver sinnlos gewesen wäre und niemand den Nerv gehabt hatte, auf den Kurs zu achten. Jetzt entfalteten sich wieder die beiden Segel, fahl schimmernd im Mondlicht. Der Wind fiel ein, und das Fahrzeug glitt weiter über die nächtliche See.

Yattur gab mit gepreßter Stimme seine Befehle.

Charru stand am Bug und starrte nach vorn, als könne er durch pure Willenskraft das schützende Land herbeizwingen. Frauen und Kinder hatten sich schweigend unter Deck zurückgezogen. Nur der kleine Robin verharrte noch am Schanzkleid, beide Hände um die hölzerne Kante gelegt, und hob das Gesicht mit den blinden Augen dem Wind entgegen.

Er fragte sich, warum er ganz plötzlich keine Angst mehr fühlte.

Er wußte, die Flugzeuge konnten Bomben abwerfen. Sie hatten das Fischerdorf zerstört, und sie hatten ihn an jene Schreckensnacht auf dem Mars erinnert, als die Menschen, bei denen er aufgewachsen war, binnen einer einzigen Stunde brutal ermordet wurden. Als er die Flugzeuge zum erstenmal über das Fischerdorf brausen hörte, hatte er schreckliche Angst gehabt. Jetzt nicht mehr. Immer noch glaubte er, ringsum etwas Geheimnisvolles, Unsichtbares zu spüren, aber etwas, das ihm nicht mehr als Bedrohung, sondern fast wie ein Schutz erschien.

Alles war besser als die entsetzlichen Bomben.

Wirklich alles? Robin erschauerte, wandte sich rasch ab und

tastete zum Niedergang hinüber, als könne er auf diese Weise den Bildern in seinem Innern entgehen.

*

Conal Nord sah sich mit zusammengekniffenen Augen in der Grotte um. In der Luft hing das ferne Brausen des unterirdischen Flusses, der das altertümliche Turbinen-Kraftwerk antrieb. Techniker waren dabei, beschädigte Geräte zu reparieren: Aggregate zur Erzeugung von Energieschirmen, wie der Venusier erkannte. Bei seinem Erscheinen hatten sie ihre Arbeit für eine Weile unterbrochen. Stumm starrten sie herüber. Feindselig, obwohl sie zu denjenigen gehörten, die erst auf Luna zu den Merkur-Siedlern gestoßen waren und eigentlich keinen Grund hatten, den Generalgouverneur der Venus zu hassen.

Vermutlich haßten sie das, was er verkörperte. Ein zerstörerisches Gefühl, das auf dem Mars ausgereicht hätte, um sie in psychiatrische Behandlung zu bringen. Auf dem Mars und an jedem anderen Ort, wo die Gesetze der Vereinigten Planeten galten. Jessardin begriff nicht, was in diesen Menschen vorging, sonst hätte er ihnen gar nicht erst den Vorschlag gemacht, wieder in den Schoß der Föderation zurückzukehren.

»Diesmal seid ihr besser vorbereitet als damals«, stellte Conal Nord fest.

Sein Bruder nickte. »Diesmal wissen wir auch besser, was uns erwartet. Vor zwanzig Jahren habe ich mir eingebildet, es sei möglich, das marsianische Hochgericht von der Wahrheit zu überzeugen. Jetzt weiß ich, daß man genausogut einem Felsblock die Wahrheit entgegenschleudern könnte. Wir gehen nicht zurück, Conal. Wenn du gekommen bist, um uns zu überreden, uns wieder unter das Gesetz der Vereinigten Planeten zu stellen . . .«

»Ich bin gekommen, weil ich bisher nicht einmal wußte, ob ihr hier seid oder auf der Erde das Schicksal der Barbaren geteilt habt«, sagte der Gouverneur ruhig.

»Ich bin gekommen, weil ich gern deine Version von den Ereignissen auf Luna hören möchte.« Er machte eine Pause, und seine braunen Augen flackerten flüchtig auf. »Und weil ich mich mit dir aussprechen will, Mark«, setzte er hinzu. »Weil du wissen sollst, daß ich es bedauere, dir vor zwanzig Jahren gefühlloser Prinzipien wegen nicht geholfen zu haben.«

Er hatte leise gesprochen, denn die Worte waren nur für seinen Bruder bestimmt. Mark antwortete ebenso leise.

»Du hattest keine Wahl. Ich habe dir nie Vorwürfe gemacht, Conal. Du konntest nicht die Begnadigung für alle erwirken, und für mich allein hätte ich die Begnadigung nicht akzeptiert. Ganz davon abgesehen, daß ich nach alldem gar nicht mehr in der Lage gewesen wäre, das Leben eines Bürgers der Vereinigten Planeten zu führen.«

»Laras Worte.« Der Venusier lächelte schmerzlich. »Sie fühlte sich auch nicht mehr fähig, in unserer Welt zu leben. Manchmal frage ich mich, ob ich es noch lange kann. Vor ein paar Monaten wäre es völlig undenkbar für mich gewesen, auch nur mit dem Gedanken zu spielen, die Venus aus der Föderation zu lösen.«

»Und heute?« fragte Mark mit gerunzelter Stirn.

»Heute stellt das mein politisches Druckmittel dar. Allerdings weiß ich nicht, ob es stark genug ist, um Jessardin aufzuhalten. Hättet ihr seinen Vorschlag akzeptiert, wäre ihm vielleicht die Möglichkeit geblieben, den Rat zu beruhigen und den Merkur lediglich formal der Föderation anzugliedern. Aber so . . .«

»Wir wollen unser Recht«, sagte Mark hart. »Das Recht, so zu leben, wie es uns paßt, frei zu leben. Wir verstecken uns nicht hinter Formalitäten und faulen Kompromissen. Wir werden kämpfen und . . .«

»Ich weiß, Mark.« Conal Nord machte eine beschwichtigende Geste. »Ich werde euch helfen, soweit ich kann, und der venusische Rat hat immerhin ein nicht unbeträchtliches politisches Gewicht.« Er machte eine Pause und biß sich auf die

Lippen. »Mark – kannst du mir genau erzählen, was auf Luna geschehen ist?«

»Sicher. Ich dachte, du wüßtest es.«

Mark berichtete knapp. Ein Bericht, der sich bis auf einige zusätzliche Einzelheiten mit Conal Nords Informationen deckte. Der Generalgouverneur runzelte die Stirn.

»Und danach hattet ihr keinen Kontakt mehr zu den Barbaren?« fragte er.

Mark schüttelte den Kopf. »Die Funkeinrichtung der alten ›Terra‹ reichte dazu nicht aus. Sie hätten uns einigermaßen empfangen, aber nicht antworten können, also war es sinnlos.« Er machte eine Pause, und ein hartes Lächeln kerbte sich um seine Lippen. »Das letzte, was wir von ihnen hörten oder sahen, war viel eindrucksvoller als ein Funkspruch. Lunaport ging in Flammen auf.«

»Und es gab keine Hinweise darauf, daß sich die Priester von den übrigen Terranern trennen wollten?«

»Das weiß ich nicht, Conal. Ich weiß nur, daß dieser kahlköpfige Greis die Tiefland-Krieger und vor allem Charru von Mornag bis aufs Blut haßte. Und daß er die anderen mit der Behauptung verrückt machte, die Marsianer würden sie alle umbringen, sobald sie auf der Erde landeten.«

»Haben sie ihm geglaubt?«

»Einige. Warum fragst du?«

»Hältst du es für möglich, daß es Bar Nergal und seine Anhänger schaffen konnten, ein altes Lenkgeschoß aus der irdischen Vergangenheit zu aktivieren und auf die ›Terra‹ abzufeuern?«

Mark hob die Brauen. Er verstand plötzlich, worauf sein Bruder hinauswollte.

»Das habe ich mich auch schon gefragt«, sagte er gedehnt. »Gegenfrage: Hältst du es für möglich, daß Simon Jessardin nicht nur dich als seinen persönlichen Freund belügt, sondern auch den Rat und die Öffentlichkeit hintergeht?«

Der Venusier nickte. Seine Stimme klirrte. »Wenn es ihm

zum Wohle des Staates notwendig erscheint und er keinen anderen Ausweg sieht – ja.«

»Du glaubst, daß Carrisser die Hände im Spiel hatte?«

»Das weiß ich nicht, Mark. Ich hoffte, ich würde von dir ein paar Hinweise bekommen. Die ›Deimos‹-Staffel hat auf Luna abgewartet, Aufklärungsflüge mit den Beibooten unternommen und sogar Filmmaterial mit zurückgebracht. So lautet die offizielle Version.«

»Und inzwischen haben die Priester die ›Terra‹ mit einem Lenkgeschoß vernichtet.« Mark zuckte die Achseln. »Es ist nicht auszuschließen, Conal. Es ist nicht einmal besonders unwahrscheinlich, wenn man bedenkt, daß diese Menschen immerhin in der Lage waren, eine alte Ionen-Rakete instand zu setzen und damit vom Mars zu fliehen.«

Der Gouverneur nickte langsam.

Die anderen hatten schweigend zugehört. Unterdrückter Zorn zeichnete ihre Gesichter. Ken Jarel machte eine abfällige Geste.

»Ich traue den Marsianern jeden schmutzigen Trick zu«, knurrte er. »Jessardin war schon immer ein Fuchs. Und Carrisser sähe es ähnlich, seinen getreuen Vasallen zu spielen, um die Scharte auf Luna auszuwetzen.«

»Und was ihm bei den Terranern gelungen ist, versucht er vermutlich auch bei uns«, setzte Dane Farr hinzu.

»*Falls* er mit dem Tod der Terraner zu tun hat«, schränkte Mark ein. »Im übrigen hast du recht. Irgendwann unternimmt er bestimmt etwas gegen uns.«

»Ich werde versuchen, es zu verhindern«, sagte Conal Nord ruhig. »Ich fliege zum Mars. Vielleicht kann ich dort auch die Wahrheit über das Ende der ›Terra‹ erfahren.«

Sein Bruder warf ihm einen Blick zu. »Und wenn du die Wahrheit weißt? Wenn sie so aussicht, wie du es befürchtest? Was dann?«

Sekundenlang blieb es still.

Noch einmal blickte Conal Nord die Männer an, die damals

so entschlossen den Schritt aus ihrer Welt hinaus getan hatten. Ein Schritt, der vielleicht auch ihm, dem Generalgouverneur der Venus, eines Tages bevorstand.

»Ich weiß es nicht«, sagte er leise. »Ich weiß nur, daß ich es diesmal nicht hinnehmen würde.«

*

Wie ein gefangenes Tier lief Bar Nergal im Halbdunkel der Halle auf und ab.

Der Saum seiner Kutte streifte über den Boden. Draußen rumpelten und quietschten Räder: die Katzenwesen benutzten einen primitiven Karren und ein Rattengespann, um einen der schweren schwarzen Steine vom Meer in die Stadt zu zerren. Aber in dieser Nacht brauchte der Oberpriester keinen Opferblock mehr. Später, dachte er mit glühenden Augen. Später würden die Bräuche und Riten wieder aufleben, würde es Statuen für die wahren Götter geben und einen Palast für ihre Diener. Bar Nergals Blick streifte Charilan-Chi, die reglos an der Wand lehnte, den Kopf mit dem langen goldenen Haar ehrerbietig geneigt. Sie war bereit gewesen, den Willen ihres »Gottes« zu erfüllen. Und in Zukunft würden auch ihre Söhne gehorchen, würden endgültig begreifen, daß es tödlich war, sich gegen die Götter aufzulehnen.

Bar Nergals dürrer Körper straffte sich, als das leise, noch ferne Dröhnen an sein Ohr drang.

Sekundenlang glaubte er, daß ihn das Brausen der Meeresbrandung täuschte wie so oft in den letzten Stunden, dann war er sicher, daß er das Heulen von Triebwerken wahrnahm. Auch Charilan-Chi hatte es gehört, zuckte heftig zusammen. Das Geräusch schwoll an, kam rasch näher, und Bar Nergal raffte mit funkelnden Augen seine rote Robe.

Charilan-Chi und ihre Kriegerinnen folgten ihm, auch die Priester, Akolythen und Tempeltalleute drängten sich ins Freie. Die Sterne verblaßten bereits. Schwarz hoben sich die Ruinen vor dem heller werdenden Himmel im Osten ab, und die drei anfliegenden Maschinen waren deutlich zu sehen.

Langsam kamen sie herunter.

Eine nach der anderen setzte sicher auf, rollte über das Betonfeld und blieb stehen. Mit einem letzten Vibrieren verstummten die Triebwerke. Nur noch das leise, angstvolle Fauchen der Katzenfrauen und das Trippeln der Ratten durchbrach die Stille.

»Ciran«, flüsterte die Königin. »Chan und Croi! Sie haben . . .«

Ihre Stimme brach.

Ein funkelnder Blick des »Gottes« ließ sie resignierend den Kopf neigen. Bar Nergal starrte den drei jungen Männern entgegen, versuchte in ihren erregten Gesichtern zu lesen und atmete tief.

»Ihr habt eure Aufgabe erfüllt?« fragte er.

»Wir haben sie erfüllt, Herr!« bestätigte Croi.

»Der Verräter ist tot«, sagte Chan düster.

»Aber die anderen, Herr!« rief der junge Ciran dazwischen. »Die anderen leben noch!«

»Die anderen?« echote Bar Nergal verblüfft.

»Ja, Herr, ja! Deine Feinde, die ebenfalls von den Sternen stammen und die wir vernichtet glaubten. Sie leben! Sie müssen das Schiff heimlich verlassen haben. Und jetzt fahren sie mit einem anderen, einem richtigen Schiff über das Meer. Mit Yatturs Schiff!«

Ungläubig starrte Bar Nergal den Jungen an.

»Aber das ist unmöglich!« krächzte er. »Sie sind tot! Tot!«

»Sie leben, Erhabener«, beteuerte Croi. »Che hatte sie auf dem Wasser entdeckt, und auch wir sahen sie, bevor wir Ches Flugzeug in Brand schossen. Er stürzte ins Meer. Die anderen segelten weiter nach Süden.«

»Ihr habt sie entkommen lassen?« fuhr Bar Nergal auf.

»Herr, wir wollten erst deine Befehle hören. Wir konnten nicht sicher sein, ob du deine Feinde tot sehen oder lebendig gefangennehmen wolltest, ob wir das Schiff zerstören durften oder ob du es vielleicht brauchst. Es kann nicht entkommen. Wir sind schnell, viel schneller als deine Feinde. Befiehl, und wir werden gehorchen.«

Bar Nergals Lippen preßten sich zu einem dünnen, blutleeren Strich zusammen.

Cris, dachte er. Cris mußte die Terraner gewarnt haben, als sie sich damals in der alten Ionen-Rakete verschanzten. Marius Carrissers Lenkgeschoß hatte ein leeres Raumschiff zerstört. Und jetzt fuhren Charru von Mornag und seine Gefährten mit einem anderen Schiff über das Meer, mit einem hölzernen Segelschiff, auf dem sie ihm wehrlos ausgeliefert waren.

Der Oberpriester hatte ein paar Sekunden lang völlig starr und versunken dagestanden. Nun strafften sich seine Schultern unter einem tiefen Atemzug.

»Sie werden sterben!« stieß er hervor. »Ihr startet sofort wieder. Sucht die Frevler und vernichtet sie, alle! Wenn ihr zurückkommt, will ich von euch hören, daß nicht einer von ihnen mehr lebt!«

*

Wie ein silberner Diskus schraubte sich das Beiboot in den nächtlichen Himmel.

Mark Nord, Ken Jarel und Raul Madsen standen zwischen den stillen Häusern der Siedlung und sahen der flirrenden Scheibe nach, die sich dem zweiten, ferneren Punkt am Himmel näherte. Jarel nagte heftig an der Unterlippe.

»Ich glaube ihm nicht«, sagte er gepreßt. »Er wird nie aus persönlichen Gründen einen Bruch zwischen Venus und Mars herbeiführen. Er wird seine sogenannte Pflicht tun.«

»Bist du so sicher?« fragte Madsen gedehnt.

»Nein. Aber Mark ist auch nicht völlig vom Gegenteil überzeugt. Für uns ist es am besten, wenn wir uns soweit wie möglich auf uns selbst verlassen.«

Mark Nord nickte nur.

Hoch oben im Orbit um den Merkur verschmolzen die beiden silbernen Punkte miteinander, als das Beiboot andockte. Conal Nord passierte die Schleusen und fuhr in die Kanzel hinauf, wo der Pilot konzentriert die Kontrollen beobachtete.

»Rückkehr zur Basis?« fragte er knapp.

Der Gouverneur schüttelte den Kopf. »Wir fliegen den Mars an.«

Nur ganz flüchtig runzelte der Pilot die Stirn. Falls er überrascht war, ließ er es sich jedenfalls nicht anmerken.

»Kadnos-Port, Gouverneur?«

»Kadnos-Port«, bestätigte Conal Nord. Und mit einem leisen Lächeln: »Geben Sie über Funk unsere Identifizierung und unseren Kurs durch und lassen Sie sich per Leitstrahl herunterlotsen. Wir haben nichts zu verbergen.«

IX.

Die Morgendämmerung überzog den östlichen Himmel mit einem Dunstschleier, der sich allmählich rot färbte.

Niemand außer den kleineren Kindern fand Schlaf in dieser Nacht. Yattur und Charru, Camelo, Gerinth, Scollon und ein paar andere hatten die Lage besprochen, aber um ihre Ausweglosigkeit zu begreifen, bedurfte es nicht vieler Worte. Ringsum dehnte sich die See, als seien die Menschen mit ihrem Schiff allein auf der Welt. Da sie nicht wußten, wo die nächste Insel lag, spielte es im Grunde keine Rolle, in welche Richtung sie segelten. Yattur änderte den Kurs, legte das Schiff genau vor den Wind, der aus Nord-Nordost wehte. Auf diese Weise kamen sie schneller vorwärts, und die Flugzeuge würden es etwas schwerer haben, sie zu finden. Aber niemand glaubte ernsthaft daran, daß sie viel damit gewannen.

»Werden sie zurückkommen?« fragte Lara leise.

Charru biß die Zähne zusammen. Er stand am Schanzkleid

und spähte angespannt nach vorn. Er hätte sich gern an die Hoffnung geklammert, daß eine Chance bestand, in Ruhe gelassen zu werden. Aber er kannte Bar Nergal zu gut, um sich Illusionen zu machen.

»Ja«, sagte er. »Sie werden zurückkommen.«

»Dann . . .«

Lara sprach nicht weiter.

Sie wußten alle, daß sie nicht die geringste Aussicht hatten einem Angriff der drei Flugzeuge zu entgehen. Charrus Gedanken drehten sich fieberhaft im Kreis, prüften aus Verzweiflung geborene Pläne und verwarfen sie wieder. Gerinths zerfurchtes Gesicht spiegelte die kalte Ruhe der Resignation. Jarlons Augen brannten, und er hieb wild mit der Faust gegen den Rand des Schanzkleides.

»Diese Hunde!« knirschte er. »Diese gemeinen Mörder! Hätten wir sie doch getötet, als wir die Gelegenheit hatten!«

»Land!« gellte im gleichen Augenblick eine Stimme aus dem Mast. »Yattur! Charru! Ich kann eine Insel sehen!«

Charru fuhr herum.

Mit wenigen Schritten hastete er über das Deck und kletterte ebenfalls auf die hölzerne Plattform hinauf. Cris hatte den Ausguck übernommen: seine Augen waren ein ganzes Stück schärfer als die der anderen. Jetzt wies er aufgeregt nach Süden, wo der karmesinfarbene Glanz der Morgenröte und die zurückweichende Finsternis eine Zone düsteren Zwielichts bildeten. Charru hakte einen Arm um den Mast und kniff die Lider zusammen. Er konzentrierte sich mit allen Sinnen, aber es dauerte noch fast eine volle Minute, bis auch er den winzigen Kegel in der Ferne entdeckte.

Auf dem Schiff war es so still geworden, daß das Ächzen der hölzernen Verbände und das Plätschern der Wellen überlaut klang.

»Es ist tatsächlich eine Insel!« rief Charru nach unten. »Wir laufen genau darauf zu.«

»Endlich! – Wir schaffen es! – Eine Insel!

Erleichterte Stimmen schrien durcheinander. Verfrühte Erleichterung, wie Charru wußte, aber auch er war froh, daß der Bann der Hoffnungslosigkeit von den Menschen wich. Rasch hangelte er sich wieder an Deck hinunter. Cris folgte ihm, weil jetzt kein Mann im Ausguck mehr benötigt wurde. Yattur lehnte an der Balustrade des Achteraufbaus. Sein dunkles Gesicht unter dem lockigen blauschwarzen Haar wirkte unverändert ernst.

»Wir brauchen mindestens noch eine Stunde bis zu der Insel!« verschaffte er sich Gehör. »Und ich bezweifle, daß es eine Möglichkeit gibt, das Schiff gut genug zu verstecken, um aus der Luft übersehen zu werden. Wir müssen alles vorbereiten, um unsere Ausrüstung so schnell wie möglich an Land zu bringen. Falls das Schiff zerstört wird, werden wir nämlich darauf angewiesen sein. Die Insel sieht nicht besonders groß aus, und ein idealer Zufluchtsort ist sie bestimmt nicht.«

Die Erleichterung, die für ein paar Sekunden wie ein Taumel um sich gegriffen hatte, wich wieder der Sorge.

Eilig machten sich die Menschen daran, ihre Habseligkeiten an Deck zu bringen und vorsorglich die beiden Boote mit den wichtigsten Ausrüstungsgegenständen zu beladen. Medikamente, Nahrungskonzentrat, Laras Laborgeräte, die wenigen Waffen. Langsam kletterte die Sonne höher, ebenso langsam kam die Insel näher, jetzt von strahlendem Morgenlicht übergossen. Cris' scharfe Augen hatten bereits einen dichten Vegetationsgürtel erspäht, der darauf hinwies, daß zumindest Trinkwasser vorhanden war. Charrus Blick suchte das Meer ab. Keine schwarzen Dreiecksflossen, keine geheimnisvollen Gestalten. Über dem Wasser flimmerte ganz schwach die Luft. Für den Bruchteil einer Sekunde schienen die Umrisse der Insel zu verschwimmen, und Charru rieb sich unwillkürlich mit dem Handrücken über die Stirn.

»Es wird heiß«, murmelte Yattur neben ihm. »Vielleicht ein Gewitter.«

»Hoffentlich! Ich glaube nicht, daß Charilan-Chis Söhne es wagen werden, durch eine Gewitterfront zu fliegen.«

»Eine halbe Stunde noch. Vielleicht gibt es Höhlen auf der Insel, in denen wir Schutz finden können. Auf jeden Fall werden wir vorbereitet sein, werden nicht im Schlaf überrascht werden wie die Leute meines Dorfes.«

Charru nickte, obwohl er nur zu genau wußte, wie wenig Sicherheit die Insel bot.

Ihre Gegner konnten immer wiederkommen, auch wenn sie beim erstenmal keinen Erfolg hatten. Und sie *würden* wiederkommen. Bar Nergal hatte bereits bewiesen, wie unermüdlich er war, wie besessen von seinem Vernichtungswillen. Es gab keine Möglichkeit, das Schiff zu schützen. Wenn es zerstört wurde, mußten sie irgendeine andere Methode finden, um die Insel wieder zu verlassen. Eine Methode, von der Charru im Augenblick nicht einmal ahnte, wie sie vielleicht aussehen konnte.

Es war sinnlos, jetzt schon darüber nachzugrübeln.

Zunächst einmal galt es, die Insel zu erreichen und die nächsten Stunden zu überstehen. Immer wieder irrte Charrus Blick nach Norden. Noch war der Himmel leer. Aber es mußte schon ein unwahrscheinlicher Zufall geschehen, damit es so blieb. Vielleicht, wenn sich Charilan-Chis Söhne weigerten, noch einmal zu fliegen. Wenn es einen Unfall bei der Landung gab oder einen Defekt an den Maschinen . . .

Wenn, wenn, wenn!

Charru glaubte nicht an solche Zufälle. Mit einer heftigen Bewegung wandte er sich ab, um noch einmal in den Ausguck hinaufzuklettern, und dabei stieß er fast mit dem kleinen Robin zusammen, der still und wie versunken am Schanzkleid stand.

»Charru?«

»Ja, Robin.«

Charru legte dem Blinden die Hand auf die Schulter und bemühte sich, keine Ungeduld zu zeigen. Der Junge zitterte. Aber das war schließlich kein Wunder: die kritische Lage konnte ihm trotz seiner Blindheit nicht entgangen sein, und Furcht und Spannung fühlte er deutlicher als jeder andere.

»Wohin segeln wir?« fragte er tonlos. »Wie sieht diese Insel aus?«

Charru zögerte. Robins Stimme klang drängend, und ein Ausdruck schmerzhafter Konzentration lag auf dem schmalen Gesicht.

»Eine ganz normale Insel mit Palmen, Strand und Riffen. Du weißt doch, daß wir für eine Weile an Land gehen müssen.«

»Ja . . . Aber warum dort?« Robin tastete nach Charrus Hand, und die schmalen Finger umklammerten heftig sein Gelenk. »Da ist etwas! Etwas Fremdes, Gefährliches! Ich spüre es!«

»Die Flugzeuge sind gefährlich, Robin, nicht die Insel. Mach dir keine Sorgen. Wir schaffen es schon.«

»Aber . . .«

Der Junge verstummte und senkte den Kopf.

Charru strich ihm beruhigend über das helle Haar. Robin war wehrlos in seiner dunklen Welt, war verletzlicher als die anderen Kinder, weil er die Stimmung der Erwachsenen deutlicher spürte, sich nie täuschen ließ, jede Gefahr instinktiv erfaßte und ihr dabei nicht einmal ins Gesicht sehen konnte. Charru suchte nach Worten, wollte noch etwas Tröstliches sagen, aber er kam nicht mehr dazu.

Das Geräusch, das er hörte, war leise und fern, doch es schien sich wie ein glühendes Messer in sein Gehirn zu bohren.

Triebwerke!

Flugzeuge!

Sie kamen zurück. Und wenn nicht ein Wunder geschah, würden die Piloten das Schiff entdecken, lange bevor es die Insel erreichte.

*

Ciran spürte das leise Vibrieren des Steuerelements unter seinen Händen.

Wie riesige silberne Schatten sah er die beiden anderen Maschinen neben sich. Der Himmel war wolkenlos, die Sonne strahlte trotz Filter fast schmerzhaft grell in die Kanzel. Tiefblau dehnte sich das Meer, von einem eigentümlich opalisierenden Schleier überzogen . . .

Das Schiff!

Ein dunkler Punkt in der See. Andere Punkte, grün und verschwimmend: Inseln. Ciran blinzelte und musterte mit gerunzelter Stirn die Sichtscheibe, die Licht und Farben plötzlich auf seltsame Weise zu brechen schien. Der Blick des Jungen sog sich an dem Schiff fest, dieser Nußschale in der Weite. Mit der Rechten schlug er auf die Taste des Funkgerätes und runzelte abermals die Stirn.

»Chan?« rief er. Und nach einer Pause: »Croi! Croi!«

Nichts rührte sich.

Grüne Kontrolleuchten zeigten an, daß das Gerät ordnungsgemäß arbeitete, doch aus dem Lautsprecher drang nicht einmal das übliche Rauschen und Knacken einer Störung. Tot, dachte Ciran. Ein harmloser Defekt, versuchte er sich einzureden. Aber seine Handflächen wurden feucht, und als er wieder zu dem Schiff hinuntersah, wußte er selbst nicht, warum sich die ungewisse Beklemmung wie ein eiserner Ring um seine Brust zu legen schien.

Die Luft flimmerte.

Opalisierende Schleier . . . Hartes Leuchten wie im Inneren eines gigantisches Kristalls, dessen Struktur das Sonnenlicht ablenkte . . . Ciran schwitzte. Angst packte ihn, ohne daß er zu sagen gewußt hätte, wovor. Seine Augen hafteten an dem Schiff, der einzigen Realität in einer verschwimmenden Vision. Einer Vision, die in diesem Augenblick den Eindruck in ihm weckte, als krümme und verschiebe sich ein unsichtbares, substanzloses Medium um ihn, das alle Perspektiven verzerrte . . .

Instinktiv umkrallte Ciran das Höhensteuer und zog das Flugzeug steil hoch.

Die Vision verblaßte.

Es ist nichts, dachte der Junge. Nichts, nichts, nichts!

Erstaunt bemerkte er, daß auch seine Brüder ihre Maschinen höher gezogen hatten. Das Funkgerät war immer noch tot. Aber tief unten bewegte sich das Schiff über das blaue, im Sonnenlicht wie Metall glänzende Wasser, und Cirans Augen begannen triumphierend zu funkeln.

*

Fische wimmelten in der Lagune der Insel.

Ein Vogel flatterte mit trägem Flügelschlag auf, segelte durch die flimmernde Luft, erhob sich gleichgültig über dem verschwimmenden, sich verzerrenden Eiland. Hitzegeflimmer . . . Kristallene Schleier . . . Das instinktive tierische Leben vollzog sich auf der Ebene der Zeitlosigkeit, glitt von einem Augenblick in den anderen, mühelos, auch wenn sich die Augenblicke gegeneinander verschoben, wenn sich die Kette verwirrte. Jetzt war immer jetzt. Gestern und morgen existierten nicht, außer in den unbewußten Speichern des Instinkts. Zeit existierte nicht . . .

Von den Geschöpfen, die die Stufe der Bewußtheit erreicht hatten, wurde die Insel gemieden.

Eine dunkle Furcht aus den Tiefen von Erinnerung und Erfahrung. Die Hitzeschleier des Mittags signalisierten Gefahr. Das gleißende Mondlicht der Nächte signalisierte Gefahr, der metallene Glanz des Wassers, die Spiegelbilder der Sterne. Eine fremde Sphäre . . . Ein Tor in eine andere Welt . . . Das Gespür der Meerwesen war unbestechlich, und da sie das Phänomen nicht begreifen konnten, machten sie den Platz in ihrer einfachen Mythologie zum Reich der toten Seelen.

Jenseits . . .

Ein Riß im Gewebe der Zeit, im Gewebe der Welt . . .

Dort, wo die Schalen der Zeit sich in einem Knotenpunkt ihrer Krümmungen trafen, durchlässig wurden und ineinander übergingen, entstand eine unsichtbare Brücke, die überallhin führte. Vor mehr als zweitausend Jahren hatten die Menschen es geahnt – und gefürchtet. Aber zweitausend Jahre hatten nicht ausgereicht, um das Geheimnis zu enträtseln.

Unsichtbare Schleier, die Welten trennten.

Unsichtbare Brennpunkte, an denen sich die Fächer zukünftiger Möglichkeiten öffneten und die Linien der Vergangenheit verschlangen.

Der Riß klaffte weit.

Eine Falle für den Ahnungslosen. Ein Fenster zu Vergangenheit, Gegenwart und Zukunft für die Eingeweihten und ein Instrument, das diejenigen zu handhaben verstanden, die mit dem Geheimnis der Zeit vertraut waren.

*

Mit zusammengebissenen Zähnen sah Charru den drei Flugzeugen entgegen.

Sein Herz hämmerte hart gegen die Rippen. Bitterkeit und Zorn überfluteten ihn wie eine Woge. Zu spät! Sie hatten keine Chance mehr, die Insel zu erreichen. Schon dröhnte das Heulen der Triebwerke gleich einem Orkan in seinen Ohren, ließ seinen Schädel schmerzen, seine Trommelfelle vibrieren . . .

»Charru! Charru!«

Robins Stimme, dünn und hoch vor Schrecken. Taumelnd lief der Blinde auf den jungen Barbarenfürsten zu, dem er wie niemandem sonst vertraute. Charru fing ihn auf, spürte die Kinderarme, die sich an ihn klammerten, und das Zittern des schmalen Körpers. Ohne die heranrasenden silbernen Pfeile aus den Augen zu lassen, umfaßte er beruhigend Robins Schultern. Der Junge hielt den Atem an, verkrampfte sich und Charru durchzuckte flüchtig der Gedanke, daß es nicht die Flugzeuge waren, die das Kind so erschreckten.

Unsinn, dachte er im nächsten Moment.

Sie waren alle wie erstarrt vor Entsetzen. Es gab keinen Ausweg mehr, nichts konnte das Verhängnis aufhalten. Minuten noch! Die Piloten hatten sie entdeckt, die Flugzeuge hielten genau auf das Schiff zu und . . .

»Schneller!« stammelte Robin. »Schneller!«

Einen Herzschlag lang glaubte Charru fast, daß der Junge den Verstand verloren habe.

Lara glitt neben ihn, einen Ausdruck verzweifelter Ratlosigkeit in den Augen. Jemand stöhnte dumpf auf. Karstein, Gillon und Brass hatten in einem Impuls ohnmächtiger Wut zu den Lasergewehren gegriffen. Yattur schrie etwas in der Sprache seines Volkes, das genausogut ein Fluch wie ein Gebet sein konnte. Und Robin riß sich mit einer jähen Bewegung los, warf den Kopf hoch und schien förmlich zu versteinern.

»Jetzt«, flüsterte er. »Da . . .!«

Charru folgte seiner Blickrichtung – und zuckte wie unter einem Hieb zusammen.

Vor ihm zogen sich die Umrisse der Insel auseinander, als blicke er durch eine gigantische kristallene Linse. Seine Ohren dröhnten. Er hörte Yattur schreien und spürte, wie das Schiff abrupt seine Fahrt verminderte. Eben noch hatte ihm eine kräftige Brise das Haar ins Gesicht geweht, jetzt fühlte er das bleierne Gewicht der Flaute, als stürze etwas über ihm zusammen. Ringsum schimmerte das Meer in schmerzhaft weißer Helligkeit. Die Insel floß auseinander, füllte den Horizont, und dieser Horizont schien sich in einer gespenstischen Vision um das Schiff zu biegen.

»Charru! Was ist das? Ich kann mich nicht mehr orientieren!«

Yatturs Stimme.

Fern und verzerrt, nur mühsam zu verstehen. Charru wollte herumfahren, doch die Kraft, die vor ihm die Insel in ein Zerrbild verwandelte, schien ihn festzuhalten. Wie Glockenschläge dröhnten die Worte in seinen Ohren wider.

»Charru . . .«

»Was ist das . . . ist das . . .«

»Ich kann mich – nicht – orientieren . . . Nicht orientieren . . . Kann nicht . . . Kann nicht . . .«

Warum nicht? fragte sich Charru mit dem letzten Rest klarer Überlegung, an den er sich in diesem Alptraum klammerte.

Mühsam hob er den Kopf. Seine Ohren dröhnten immer noch, aber er wußte, spürte genau, daß es nicht mehr das Heulen der Flugzeug-Triebwerke sein konnte, das er hörte. Die Maschinen waren verschwunden. Der Himmel war leer. *Vollkommen* leer – und Charru brauchte eine unmeßbare Ewigkeit, um zu begreifen, was ihn an dieser Tatsache so in Panik versetzte.

Der Himmel war leer, weiß, wolkenlos – und ohne Sonne!

Gleißende Helligkeit schloß das Schiff ein, als sei es zwischen sich krümmenden Spiegeln gefangen. Und in diesen Spiegeln, hundertfach zurückgeworfen, aus allen Richtungen reflektiert, sah Charru sich selbst, sah Lara, die hinter ihm stand, sah alles, was um ihn geschah – und alles zugleich, als hätten Zeit und Raum aufgehört zu existieren.

Dutzende von Stimmen schienen gleichzeitig in seinem Schädel widerzuhallen.

Aber es war Robins Stimme, die er heraushörte, die ihn zu verfolgen schien, die wieder und wieder das eine, gleiche Wort hervorstieß, wie ein Symbol dessen, was mit ihnen allen geschah: Jetzt . . . Jetzt . . . Jetzt . . .

*

Ciran wußte nicht, wie lange der Augenblick dauerte, in dem er das Gefühl hatte, daß etwas Unsichtbares seinen Geist berührte.

Ein flüchtiger Kontakt . . . Etwas, das ihn einhüllte und wieder losließ, noch einmal berührte – und zurückstieß. Leichter Schwindel trübte Cirans Blick. Seine Gedanken verschwammen, und einen Herzschlag später fuhr er heftig hoch, weil plötzlich das Funkgerät wieder funktionierte.

»Ciran!« erklang die Stimme seines Bruders Croi. »Chan! Ciran! Meldet euch!«

Cirans Augen funkelten auf.

Er benutzte die Sprache seines Volkes, deren fauchender Klang im Lautsprecher seltsam verzerrt klang. Sein Blick haftete auf den Instrumenten. Den einzigen Moment, in dem seine Konzentration zusammengebrochen war, hatte er vergessen.

»Ich höre dich, Croi! Was ist?«

»Das Funkgerät . . . Ich bekam keine Verbindung . . .«

»Jetzt klappt es wieder. Ich habe das Schiff gesichtet. In ein paar Sekunden werden wir . . .«

Cirans Stimme brach.

Bei den letzten Worten war sein Blick unwillkürlich wieder nach unten gewandert, wo das Schiff schwamm, wo es schwimmen *mußte*. Seine Augen weitern sich. Scharf sog er den Atem ein, und sekundenlang glaubte er, einen makabren Alptraum zu erleben.

Das Schiff war nicht mehr da.

Leer und weit dehnte sich die See unter dem hellen Himmel. Die Inseln waren noch zu sehen, grüne Flecken, groß der eine, die anderen weit entfernt und winzig – aber keine Spur von dem Schiff, keine Spur von den weißen Segeln.

Ciran glaubte zu träumen.

Abrupt verringerte er die Geschwindigkeit des Flugzeugs, so daß die Maschine fast ins Trudeln geriet. Nichts änderte sich an dem Bild unter ihm. Seine Hand zitterte, als er das Funkgerät wieder einschaltete.

»Croi! Chan!« krächzte er. Seht ihr das Schiff noch?«

»Nein!« rief Chan erregt. »Es ist verschwunden! Einfach verschwunden!«

»Wir sind darüber hinweggeflogen«, ließ sich Croi vernehmen. »Wir waren abgelenkt wegen des Funkgerätes. Wir müssen umkehren.«

Sie versuchten es – vergeblich.

Cirans Augen flackerten, als er die Maschine in eine enge Kehre zwang und wieder nur die endlose, leere Wasserfläche unter sich sah. Kein Schiff! Nicht einmal ein winziges Boot! Der Junge schluckte krampfhaft.

»Wir können nicht darüber hinweggeflogen sein«, brachte er heraus. »Die Inseln sind immer noch da. Das Schiff war unter uns, und jetzt ist es fort.«

»Aber . . . aber es kann unmöglich so schnell gesunken sein.«

»Nein«, murmelte Ciran. »Das kann es nicht.«

»Und wo ist es? Wo?«

»Ich weiß es nicht«, flüsterte der Junge.

»Bei den Göttern von den Sternen! Was sollen wir jetzt tun?«

»Ich weiß es nicht«, wiederholte Ciran mit tonloser Stimme. »Wir müssen suchen. Und wenn wir das Schiff nicht finden, müssen wir zurückfliegen, um es Bar Nergal zu sagen.«

X.

Charru sah sich selbst, in der Ewigkeit gespiegelt.

Er sah das Schiff, schwimmend neben der Zeit, außerhalb der Zeit, gefangen in einem Nichts, in dem es weder gestern noch morgen gab und die Ereignisse in sich selbst zurückliefen. Menschen, Gesichter und Dinge verschwammen, schienen hinter dickem, gekrümmtem Glas zu liegen. Charru sah Gestalten und Bewegung. Er spürte das Holz des Schanzkleides und sah die Segel vor der gigantischen Vision der Insel, die den Horizont einnahm. Aber er sah das alles nur wie einen flimmernden Wirrwarr, unklar und verschwommen, als würden Bilder aus einem Alptraum dutzendfach übereinander auf eine Leinwand projiziert.

Er wußte, er hätte Entsetzen fühlen sollen, aber Gedanken und Gefühle waren gelähmt, gleichsam in einem zähen Brei gefangen, wo sie Ewigkeiten brauchen würden, um sich zu formen. Charru sah und hörte. Er registrierte Eindrücke wie auf einem Videoband, doch er war nicht fähig, logische Schlüsse zu ziehen. Und er konnte nur mühsam denken: in blitzhaften Vorstellungen und Bildern, die wechselten, ineinander übergingen, sich zu keiner Reihenfolge fügten.

Das Gefühl des Gefangenseins.

Der erstickende Impuls, ein unsichtbares Netz zerreißen zu müssen . . . Die Unfähigkeit, sich zu bewegen und zu sprechen, obwohl ringsum alles in Bewegung war, alles von unklaren Lauten widerhallte, als würden akustische und visuelle Eindrücke in einem unsichtbaren Behältnis zu einem Verwirrspiel durcheinandergewirbelt . . .

Das Paradoxon, sich selbst gegenüberzustehen.

Rudimente des Willens, der sich vergeblich auf ein Ziel zu richten versuchte, der sich aufbäumte gegen das Unglaubliche. Charrus Geist konzentrierte sich verzweifelt auf die Abbilder seiner selbst, weil sie die augenfälligste Unmöglichkeit waren. Er sah, aber das Bild verschwamm, sobald er es festzuhalten versuchte. Er sah nebulöse Umrisse, sich auflösende und wieder verfestigende Konturen, und nach einer zeitlosen Ewigkeit war es das Aufleuchten des Kristalls an der dünnen Kette um seinen Hals, das als erstes den Schleier zerriß, um klar in sein Bewußtsein zu dringen.

Ktaramons Kristall.

Die Herren der Zeit . . .

Feine, sich zur winzigen Kugel zusammenfügende Ringe funkelten und gleißten, schienen von innen heraus zu strahlen und glitzernde Funken zu versprühen. Funken, deren Reflexe Charrus Augen trafen, sich tief in sein Gehirn senkten und Erinnerungen weckten gleich einer unaufhaltsam steigenden Flut.

Ktaramon, der Unsichtbare . . .

Ktaramon mit den goldenen Augen, dem schönen, fremdartigen, alterslosen Gesicht . . .

Die Fremden beherrschten die Zeit, konnten sie manipulieren, konnten sich frei auf ihren Schalen bewegen, in Vergangenheit, Gegenwart und Zukunft. Ihr Stützpunkt auf dem Mars existierte nicht mehr. Wo waren sie? Überall und nirgends . . . Unerreichbar . . .

Aber der Kristall!

Er leuchtete, lebte, wurde von Energie durchpulst. Jener unbekannten, für die Menschen unbegreiflichen Form von Energie, mit deren Hilfe die Fremden die Zeit beugen konnten, Felder der Vergangenheit oder Zukunft schaffen, Tore zwischen heute, gestern und morgen. Charru wollte die Augen schließen und mit der Hand nach dem Kristall an der dünnen Kette tasten. Es gelang ihm nicht. Nach wie vor konnte er sich nicht bewegen, konnte nicht folgerichtig denken, keine logischen Schlüsse, sondern nur bildhafte Vorstellungen formen. Aber jetzt – immer noch in diesem einen, verzerrten, unveränderlichen Augenblick des Jetzt – fühlte er deutlich, wie etwas von außen in sein Hirn drang, seinen Geist berührte, einen Weg bahnte durch die gespenstische Starre, die das Schiff und die Menschen umklammerte.

Spinnwebfeine Impulse . . .

Tastende Gedanken, die frei waren von den Fesseln der Zeit und auf seltsame Weise auch seinen Geist davon befreiten. Schon einmal hatte er diese unsichtbaren Fühler gespürt, die sein Inneres sondierten. Damals, als er in dem geheimnisvollen Labyrinth unter der alten marsianischen Sonnenstadt in eine Zeitfalle stolperte, weil die Fremden herausfinden wollten, wer da in ihr Reich eingedrungen war und die Zurückgezogenheit ihres Exils störte.

Und jetzt?

War Ktaramon hier? Im Bereich einer anderen Zeitfalle – oder was immer es sein mochte?

Ktaramon! Hörst du mich, Ktaramon?

Ein stummer Ruf . . . Charru nahm nicht bewußt wahr, daß seine erstarrten Gedanken wieder in Bewegung geraten waren, als habe jener fremde Einfluß das Gefängnis seines Geistes aufgebrochen. Er spürte Ktaramons Gegenwart. Und er hörte ihn, nahm Worte wahr, die nicht an seine Ohren, sondern in sein Hirn drangen, sah Bilder, die sich seinen Augen entzogen hätten, weil sie sich im abstraktesten Raum des Denkens manifestierten.

Die Schalen der Zeit . . .

Gewölbe und Krümmungen, unsichtbar und unbegreiflich, übereinandergeschichtet und ineinanderlaufend wie die Schalen einer Zwiebel . . . Zeitströme, jeder auf seiner Schale verlaufend, sich verästelnd in einen Fächer alternativer Strahlen, den Fächer der Möglichkeiten. Und Räume zwischen den Zeitschalen, unsichtbare Knotenpunkte dort, wo sie zusammenliefen . . . Dort, wo es Brücken gab nicht nur für diejenigen, die gelernt hatten, die Zeit zu beherrschen . . . wo auch jeder andere aus dem Zeitstrom gerissen und in die Starre geschleudert werden konnte.

Zeitstarre.

Ewigkeit.

Die Panik, die Charru durchzuckte, ließ sofort wieder nach. Denn in diesem Augenblick nahm er auch Ktaramons Stimme wahr – eine hallende, unhörbare Gedankenstimme:

Ich kann dich hören, Sohn der Erde . . . Ihr seid durch das Zeittor gekommen, aber ihr habt euch in die Zeitstarre verirrt . . . Ihr schwimmt neben der Zeit, zwischen den Schalen . . .

Neben der Zeit, klang es in Charru nach. Gefangen in der Zeitstarre – wie Insekten im Bernstein . . .

– Wir kennen jenes Zeittor auf der Erde, klang Ktaramons Gedankenstimme. Wir können euch zurückgeleiten. –

Zurück? in die Gegenwart, wo immer noch die tödlichen Flugzeuge kreisten? Oder waren dort inzwischen Tage vergangen, vielleicht Wochen?

– Nicht in die Gegenwart, Sohn der Erde, denn dort erwartet euch der Tod. Die Zeitstrahlen der Zukunft sind gefährlich, denn sie können erlöschen, da es viele Möglichkeiten gibt und keine davon feststeht. Wir werden euch durch die Schalen der Zeit in die Vergangenheit geleiten, in Sicherheit . . . .

Vergangenheit, wiederholte Charru in Gedanken.

Wie weit zurück? Tage? Jahre? Die Erde war noch nicht lange wieder von Menschen bevölkert. Sie war verseucht gewesen, eine Hölle, die das Leben verkrüppelte. Sie war ein Feuerball gewesen, Zentrum einer kosmischen Katastrophe, noch früher ein grünes, blühendes Paradies und . . .

Ktaramon! Ktaramon!

Die Antwort blieb aus.

Vor Charrus Augen, die eine Ewigkeit lang nichts wahrgenommen hatten, lag wieder jener sich krümmende Schleier, der alles verwischte, verzerrte und vielfach spiegelte. Aber die unsichtbare Verbindung, der dünne geistige Faden riß nicht. Charru konzentrierte sich mit verzweifelter Kraft darauf, und plötzlich glaubte er zu spüren, wie die Dinge ringsum in Fluß gerieten.

Nein, nicht die Dinge.

Das unsichtbare, unbegreifliche Medium, das sich in tausend Verzerrungen um sie krümmte. Es war, als stülpe die ganze Umgebung sich um. Das Zerrbild der Insel am Horizont dehnte sich noch weiter aus, schien dünner zu werden, auf seltsame Weise nachgiebig. Palmen und Strand, Riffe und Klippen verblaßten, als werde eine elastische Wand bis zum Zerreißen gedehnt – und dann entstand aus dem Nichts eine Explosion grellweißer Helligkeit, die alles auslöschte.

Tiefblaues Wasser dehnte sich vor Charrus Augen.

Der grüne, unregelmäßige Buckel der Insel schälte sich aus dem Hitzegeflimmer. Wind füllte die Segel, trieb das Schiff auf die Lagune zu, und Charru blinzelte in das gleißende Licht der Sonne, die fast im Zenit stand und wie ein zorniges Auge vom Himmel starrte.

Der Zeitstrom floß.

Aber er floß auf einer anderen Schale der Zeit, und Charru

fragte sich, welcher Abgrund sie von der Welt trennte, die sie verlassen hatten.

*

Langsam rollte das letzte Flugzeug auf dem Betonfeld des ehemaligen Raumhafens aus.

Einen Augenblick dröhnte das Heulen der Triebwerke noch in Cirans Ohren weiter. Reglos blieb er sitzen, den Rücken gegen den glatten Schalensitz gepreßt. Angst nagte an ihm. Nicht nur Angst vor dem Zorn Bar Nergals, dessen Auftrag sie nicht erfüllt hatten, sondern mehr noch Angst vor dem Unerklärlichen, das vor ihren Augen geschehen war.

Widerstrebend löste Ciran die Gurte, öffnete die Kanzeltür und glitt ins Freie.

Auch die Augen seiner Brüder spiegelten Furcht. Ihre Gesichter waren bleich, sie hatten Mühe, das Zittern zu unterdrücken. Gemeinsam gingen sie über das Betonfeld auf das langgestreckte, schadhafte Gebäude zu, in dessen Tor Bar Nergal bereits wartete.

Schwarz wie ein Schattenriß hob sich die hagere Gestalt von dem hellen Viereck ab. Die Brüder warfen sich hastig vor ihrem »Gott« zu Boden. Eine herrische Handbewegung bedeutete ihnen, wieder aufzustehen. Bar Nergals schwarze Augen funkelten erwartungsvoll, und die gleiche fiebrige Erwartung stand in den Gesichtern Charilan-Chis und der anderen Priester.

»Sie sind tot!« triumphierte Bar Nergal. »Zerfetzt, ertrunken, zertreten unter meinen Füßen wie . . .«

»Nein, Erhabener«, brachte Ciran hervor.

»Nein? Sie sind *nicht* tot?«

Das Feuer in den schwarzen, tiefliegenden Augen wurde zur verzehrenden Glut. Ciran senkte den Kopf, begann mit leiser Stimme zu berichten. Alles, was er wußte, woran er sich erinnerte, jede Einzelheit. Ein langer, genauer Bericht – und ein Bericht, der doch nichts erklärte.

Schweigend und ergeben warteten Ciran, Croi und Chan darauf, daß der Zorn des »Gottes« sie traf.

Erst als Bar Nergal nach einer Weile immer noch stumm blieb, wagten sie es wieder, die Köpfe zu heben. Der Oberpriester starrte sie an, doch sein Blick ging durch sie hindurch, verlor sich in der Ferne, wo er etwas wahrzunehmen schien, das nur er allein sehen konnte.

»Verschwunden?« echote er, ohne daß sich der Ausdruck des ausgemergelten Gesichtes veränderte.

»Verschwunden, Erhabener«, bestätigte Croi. »Vor unseren Augen! Wie durch Zauberei!«

Bar Nergal schluckte. An seinem dürren Hals hüpfte der Adamsapfel.

Tiefe Stille herrschte ringsum. Jeder spürte, daß etwas in ihm vorging – doch nur die Priester ahnten, welche Erinnerung es war, die Cirans Bericht wie ein Blitzstrahl geweckt hatte.

Die Sonnenstadt auf dem Mars . . .

Das goldene Labyrinth . . . Und jene Mächtigen, die Bar Nergal mehr als alles andere auf der Welt fürchtete und die sich unbegreiflicherweise entschlossen hatten, Charru von Mornag ihre Freundschaft und ihre Hilfe zu gewähren . . .

Reichte ihr Einfluß so weit?

Nein, dachte Bar Nergal. Das konnte, das durfte nicht sein. *Er* herrschte auf der Erde. *Ihm* gehörte der blaue Planet. Er mußte und würde seine Feinde vernichten.

Mit einem ächzenden Laut holte er Atem und straffte die hageren Schultern.

»Wir suchen weiter!« stieß er hervor. »Sie können nicht verschwunden sein. Wir suchen, bis wir diese Brut gefunden und vernichtet haben, und wenn wir sie bis ans Ende der Welt verfolgen müssen.«

*

Sanft wurde das Schiff durch die Passage zwischen den Riffen in die Lagune getragen.

»Fallen Anker!« klang Yatturs rauhe Stimme über das Deck. Hart klatschte der schwere Stein ins Wasser, die Trosse rauschte aus, und eilig wurden die beiden Segel geborgen.

Die unnatürliche Stille an Bord hatte etwas Lähmendes.

Immer wieder wanderten die Blicke der Menschen zum leeren blauen Himmel. Kein Flugzeug weit und breit. Erleichterung spiegelte sich in den Gesichtern, aber eine Erleichterung, die mit tiefer Verwirrung gemischt war.

Die Kinder, außer Robin, der bleich und stumm in sich hineinlauschte, verarbeiteten den Zwischenfall noch am problemlosesten als eine Station mehr in einer Kette aufregender, abenteuerlicher Ereignisse.

Die Erwachsenen mußten sich zwingen, daran zu glauben, daß sie wirklich vor Bar Nergals Waffen sicher waren. Die Insel brauchten sie jetzt eigentlich nicht mehr anzulaufen, jedenfalls nicht als Fluchtpunkt. Doch sie benötigten einfach eine Atempause, um sich über ihre Lage klarzuwerden.

Während die ersten Männer und Frauen bereits zum Strand ruderten, suchte Charru mühsam nach Worten, um den anderen zu erklären, was überhaupt geschehen war.

Ein paarmal hatte er versucht, sich mit Ktaramon in Verbindung zu setzen, aber der Zeitkristall schwieg, das pulsierende Leuchten war erloschen. Für immer? Nur vorübergehend? Charru wußte es nicht. Er bemühte sich, das Bild, das während des geheimnisvollen Gedankenkontaktes in seinem Geist entstanden war, in die unzureichenden Begriffe menschlicher Sprache zu übersetzen, aber er spürte selbst, daß es ihm nicht einmal annähernd gelang.

Vielleicht verstand ihn Robin noch am besten, doch auch der Blinde hätte das, was er unmittelbar und intuitiv erfaßt hatte, nicht in Worte zu kleiden vermocht.

Die rauhen Nordmänner hörten mit allen Anzeichen des Unbehagens zu. Camelos blaue Augen leuchteten genau wie damals, als er zum erstenmal erfahren hatte, daß es möglich war, in der Zeit zu reisen. Gillon, der rothaarige Tarether mit dem raschen, kühlen Verstand, nagte an der Unterlippe.

»Fest steht jedenfalls, daß wir uns in der Vergangenheit befinden?« vergewisserte er sich. Und als Charru nickte: »Aber wo in der Vergangenheit? Oder vielmehr wann? In welchem Zeitalter? Gestern oder vorgestern? Im letzten Jahr? Oder im letzten Jahrhundert?«

»Ich weiß es nicht. Und ich zerbreche mir jetzt auch nicht den Kopf darüber. Im Augenblick ist es vor allem wichtig, uns zu vergewissern, daß uns hier keine Gefahr durch Strahlen oder sonstige Verseuchung droht.«

Lara nickte nur, die Lippen entschlossen zusammengepreßt. Ihre Geräte und Detektoren hatte sie bereits zurechtgelegt. Für sie stellte die Existenz der Herren der Zeit ein Rätsel dar, über das sie ungern nachdachte. Sie war froh, sich zunächst einmal mit praktischen Dingen beschäftigen zu können.

Nur geringfügige Radioaktivität, stellte sie fest.

Meerwasser, das nicht ausgesprochen verseucht, aber fast bis an die Grenze des Tragbaren mit Schadstoffen belastet war. Schadstoffen, die sich in geringerem Maße auch im Trinkwasser der Quellen, im Boden und der Pflanzenwelt fanden. Lara runzelte die Stirn, machte Notizen auf einer Folie, rechnete, verglich, aber als Charru sie schließlich nach dem Ergebnis ihrer Untersuchungen fragte, zuckte sie ratlos die Achseln.

»Ich weiß nur, daß wir hier leben können, wenn auch nicht gerade unter idealen Bedingungen«, sagte sie. »Aber ich habe keine Ahnung, in welcher Zeit wir uns befinden.«

Noch einmal versuchte Charru, über den kristallenen Kommunikator Verbindung zu Ktaramon aufzunehmen.

Diesmal bekam er Kontakt. Nicht jene fremdartige geistige Berührung, sondern normalen, wenn auch schwachen Kontakt mit der Stimme, die er kannte.

»Nicht jetzt, Sohn der Erde . . . Wartet, bis sich das Tor wieder öffnet . . . Auch wir können die Schalen der Zeit nicht nach Belieben durchdringen, sondern müssen uns nach ihren Gesetzen richten.«

Die Stimme verklang.

»Ktaramon!« versuchte es Charru noch einmal. »Ktaramon!«

Aber er bekam keine Antwort, und im nächsten Augenblick wurde seine Aufmerksamkeit abgelenkt.

»Da!« stieß sein Bruder Jarlon hervor. »Seht doch!«

Er war ein Stück zwischen die roten Klippen geklettert und wies nach Norden. Mit wenigen Schritten stand Charru neben ihm und kniff die Augen zusammen, während auch die anderen herankamen.

Ein Pfeil stieg in den Himmel.

Ein silbriger Pfeil, und doch erinnerte er in nichts an Bar Nergals Flugzeuge. Die Lautlosigkeit seines Fluges verriet, wie weit entfernt er war, wieviel größer als die Maschinen er sein mußte. Senkrecht erhob er sich in die Luft, und schon nach wenigen Sekunden war er nur noch als winziger Punkt am blauen Firmament zu sehen.

»Ein Raumschiff!« flüsterte Camelo in die Stille. »Seht ihr nicht? Es ist ein startendes Schiff, das in den Weltraum fliegt.«

Charru starrte ihn an.

Langsam wandte er sich Lara zu. Seine Stimme klang rauh.

»Hast du eine Ahnung, wann hier auf der Erde zum letztenmal Raumschiffe gestartet sind?«

»Es kann ein marsianisches Forschungsschiff sein«, sagte Lara stockend.

»Und wenn nicht?«

Sie schluckte hart. Einen Augenblick zögerte sie, dann zuckte sie die Achseln. »Wenn es kein marsianisches Schiff ist, müssen wir uns in der Zeit unmittelbar vor der Großen Katastrophe befinden.«

Zwei Herzschläge lang blieb es still.

Die Katastrophe . . . Eine geplünderte, vergiftete Erde . . . Eine Menschheit, die dabei war, ihren Heimatplaneten für Jahrtausende zu zerstören . . .

Charru erschauerte, und in den Gesichtern seiner Gefährten las er, daß sie das gleiche empfanden wie er. Sie wünschten sich, die sterbende Welt ihrer Vorfahren so schnell wie möglich wieder zu verlassen.

ENDE

Söhne der Erde

Charru von Mornag, der Held dieser Serie, führt seine Brüder und Schwestern aus der Hölle einer Tyrannei auf dem Mars in ein neues Utopia. Eine Reihe nicht nur zum Lesen, sondern auch zum Diskutieren.

Band 26 017

Gefangene der Zeit

von S. U. Wiemer

Im Bermuda-Dreieck sind die Söhne der Erde aus dem Zeitstrom gerissen und in die Vergangenheit ihres Heimatplaneten versetzt worden.
Auf einer Insel werden sie als „primitive Wilde" entdeckt und in ein Unterwasser-Laboratorium gepfercht. Skupellose Wissenschaftler wollen, vom Machthunger besessen, die Herrschaft über den Planeten Erde mit biochemischen Waffen an sich reißen und die Erdensöhne als Versuchskaninchen zur Entwicklung neuer Waffen mißbrauchen.
Das Todesurteil der Söhne der Erde scheint besiegelt . . .

Originalausgabe